China le invita a [...] su cocina

Acompáñenos en un viaje cu[...] este singular y gigantesco p[...] especialidades de las difere[...] experimente la agradable sensación de los más inesperados descubrimientos. Para ello tan solo necesita, como guía, este libro de cocina en el que encontrará atractivas recetas de finos entremeses, platos de arroz y pasta, deliciosos platos de carne, ave, pescado y tofu, riquísimas sopas y tentadores postres. Siga el ejemplo de los chinos y convierta en una fiesta cada comida.

EDITORIAL EVEREST, S. A.

MADRID • LEON • BARCELONA • SEVILLA • GRANADA • VALENCIA
ZARAGOZA • LAS PALMAS DE GRAN CANARIA • LA CORUÑA
PALMA DE MALLORCA • ALICANTE – MEXICO • BUENOS AIRES

ÍNDICE

4 **Lo típico**
4 Las regiones del país
4 La cocina de Pekín o cocina del norte
4 La cocina de Shanghai o cocina del este
5 La cocina de Se-Chuan o cocina del oeste
5 La cocina de Cantón o cocina del sur
5 Costumbres de la mesa china
5 El menú cotidiano
5 Comidas festivas
6 Utensilios especiales y métodos de cocción
6 Los palillos
6 El wok
6 La olla de vapor de bambú
7 Cocción suave y troceado fino
7 Los ingredientes originales

10 **Entremeses finos y salsas**
10 Ostras al vapor
10 Rollitos de primavera
12 Leche frita
12 Ensalada de Shanghai
14 Salsa agridulce
14 Salsa de alubias con vino de arroz
14 Dip de cacahuetes

16 **Platos de arroz y pasta**
16 Arroz frito con marisco
16 Arroz frito con verduras
18 Arroz con gallina
20 Empanadillas fritas
22 Empanadillas hervidas
22 Fideos con verdura

24 **Delicias de cerdo y novillo**
24 Costillas de cerdo a la antigua
24 Carne de cerdo frita
26 Solomillo de cerdo al estilo de Cantón
26 Solomillo con brécol y salsa de ostras
28 Carne de novillo envuelta
29 Lomo de novillo con pimientos picantes

30 **Especialidades de ave**
30 Gallina al vapor
30 Gallina frita
32 Codornices a las especias
32 Solomillo de pavo con «lichis»
34 Plato estofado «Ocho delicias»
36 Pato a la pekinesa

38 **Pescado y marisco**
38 Gambas a la gabardina
38 Buñuelos de gambas
40 Calamares fritos con salsa de alubias
41 Besugo glaseado a la miel
42 Abalones con salsa de ostras
42 Pescado frito con salsa agridulce
44 Carpas al estilo de SeChuán
44 Carpas al vapor

46 **Platos vegetarianos**
46 Verdura estofada
46 Albondigas de harina con setas
48 Rollitos de espinacas
49 Col de mostaza al vapor con salsa de habas y queso
50 Brécol agridulce
50 Col china a la crema
52 Tofu con salsa de soja
52 Tofu al estilo de Se-Chuan

54 **Sopas famosas**
54 Sopa de abalones
54 Sopa de huevos de paloma
56 Sopa de gambas
56 Sopa agripicante

58 **Atractivos postres**
58 Pastel de frutas al vapor
58 Jalea de almendras
60 Pau de cumpleaños
60 Bolitas de sésamo
62 **Indice general y de recetas**

Las regiones del país

Al igual que el gigantesco país, el paisaje culinario de China ofrece una enorme diversidad de sabores y de modos de preparación. El visitante que recorra el país se verá sorprendido en cada región por su particular arte culinario.

La cocina de Pekín o cocina del Norte

Pekín, capital centenaria y centro cultural de China, ha desarrollado la cocina más fina y variada del país. En esta región septentrional, los veranos son abrasadores y los inviernos extremadamente fríos. Como en este clima el arroz no crece, los campesinos cultivan otros cereales.

El trigo, la cebada y el maíz proporcionan buenas cosechas, por lo que no es de extrañar que entre los platos más extendidos figuren los de pasta, tales como los rollitos de primavera o las albondiguillas.

Las variedades de verdura más importantes son la col china, los pepinos y el apio y la soja, todas ellas muy extendidas. La preferencia por el ajo y la cebolla se debe al influjo de los mongoles.

La cocina de Shanghai o cocina del Este

Gracias al moderado clima del fértil delta del Yang-Tse-Kian o río Azul, el cultivo de trigo y arroz es muy importante. Los numerosos ríos, lagos y el mar proporcionan todo tipo de exquisiteces para el menú. La cocina de Shanghai es famosa por el uso del azúcar y las salsas agridulces. La provincia de Fu-Kian, particularmente, es famosa por su té y sus exquisitas salsas de soja. De ella procede el estofado con salsa de soja.

El arroz es uno de los alimentos básicos de China. En el sur del país puede cosecharse dos o tres veces al año. La foto muestra los arrozales de Guilín, a orillas del río.

La cocina de Se-Chuan o cocina del Oeste

Se-Chuan con los desfiladeros de Yang-Tse es la patria de los simpáticos osos panda y el granero de arroz de China. De fama mundial es su picante especia: la pimienta de Se-Chuan. También los chilis son tan comunes en esta región que apenas hay un plato que no los lleven.

Las comidas cuando no son muy picantes son muy saladas o agrias. Entre las especialidades típicas figuran: las sopas agrias, el pato crujiente, la carne de cerdo y la carne estofada.

La cocina de Cantón o cocina del Sur

En la región de Kuang-Tung, con sus fértiles tierras de las mesetas costeras y el delta del río Perl, predomina el clima tropical. Aquí el arroz puede cosecharse dos veces al año y se cultiva mucha patata dulce, maíz y el trigo. También abundan la verduras, la naranja, el plátano, la piña, los lichis, el melocotón y el longán. Es frecuente la cría de cerdos, aves y peces, aparte del variadísimo pescado procedente del mar y de los ríos. La cocina de Cantón es la más conocida fuera de China. Mundialmente conocido es el popular wok (pág. 3) de múltiples usos. Otras especialidades de esta región son el dim sum, una especie de entremeses a base de empanadillas de pasta al

Desayuno durante el trabajo. Con el arroz de la mañana, los chinos toman, además, carne de ave, pescado o verdura. También una sopa caliente suele formar parte del menú.

vapor, rehogadas o fritas de diferentes tipos.

Costumbres de la mesa china

Para los chinos la comida es todo un acontecimiento cuya finalidad es proporcionar alegría, felicidad y placer. Una comida típicamente china consta de un plato de arroz o pasta seguido de tres, cuatro o cinco platos finos, con los comensales sentados sobre cojines en torno a una mesa de escasa altura.

El menú cotidiano

En el menú diario se colocan en el centro de la mesa el arroz y los demás platos. A cada comensal se le entrega un bol con un platillo, una cuchara, un par de palillos y una pequeña salsera. Cada uno se llena de arroz su bol, coloca encima los demás alimentos o los moja previamente en la salsera antes de llevárselos a la boca con los palillos. Por lo general se comienza con una especialidad local, luego se sirven platos de ave y, finalmente, de pescado. Es entonces cuando se toma la sopa, aunque en ocasiones se sirve antes del pescado. Los chinos acompañan los entremeses fríos con vinos de fruta, y, en las comidas principales, con vino de arroz caliente.

Comidas festivas

Las comidas festivas chinas se inician entregando a cada invitado un paño calentado al vapor para que se refresque la cara y las manos. El número de platos depende del tipo e importancia de la fiesta, superando a veces la veintena. En tales ocasiones los chinos prefieren sentarse en torno a una mesa grande, con una tabla giratoria en el centro en la que se distribuyen los platos para que queden al alcance de cada comensal. Pero antes suelen servirse nueces, almendras, avellanas, frutos secos y cangrejos secos. Luego vienen los entremeses servidos en platos pequeños. Los platos principales se comen, en bol. Las pequeñas guarniciones se colocan en el plato pequeño antes de tomarlas junto con el arroz, sirviéndose de los palillos. Finalmente puede servirse fruta fresca o un postre, si bien es de señalar que los chinos prefieren los dulces por la mañana o entre las comidas.

Utensilios especiales y métodos de cocción

Los chinos cocinan de la misma forma que nosotros: friendo, rehogando o cociendo los alimentos, según los casos, aunque de modo distinto al nuestro. Es muy importante tener dispuesto todo, pues los tiempos de cocción de los diferentes platos suelen ser muy cortos. Mientras el pescado o la carne reposan en la marinada, conviene ir limpiando y cortando finamente los demás ingredientes y tener preparadas las especias y los utensilios adecuados.

Los palillos

En realidad no es tan difícil utilizarlos como parece. El palillo inferior debe mantenerse fijo en el hueco del pulgar, entre los dedos anular e índice. Los bocados se cogen haciendo tenaza con el palillo superior, sobre el dedo índice, entre el corazón y la yema del pulgar.

Comer con palillos es mucho más fácil de lo que parece, sólo hace falta un poco de práctica y de paciencia. Vea en esta página cómo se hace.

Los chinos utilizan los palillos no solo para comer, también los usan en la cocina, aunque de mayor tamaño, del mismo modo que nosotros usamos la cuchara.

EL wok

Este utensilio entre cazuela y sartén, es una invención china que en su origen (con el fondo achaflanado y las paredes inclinadas) se usaba en un fuego abierto. Actualmente existen woks con el fondo ligeramente aplanado, adaptados a las cocinas modernas, para que

el calor se reparta de modo rápido y uniforme, como condición previa importante para cocer o asar. Mediante este sistema se conservan el aroma y las sustancias internas de los alimentos. Además utilizan este utensilio para freír y, con ayuda de una tapa y un accesorio de bambú, también para rehogar y cocer al vapor.

La olla de bambú

Los platos al vapor son muy populares en la cocina china, la olla de bambú con sus diferentes bandejas insertables en las que los alimentos pueden cocerse al vapor o en seco, directamente sobre la bandeja idónea son también muy populares. Dentro de la olla pueden apilarse varias bandejas a fin de cocer simultáneamente diversos platos. La cocción suave al vapor lo único que requiere es agregar un poquito de agua, tapar la olla perfectamente. Podemos utilizar nuestra habitual olla exprés o una cazuela grande con tapa hermética. En este último caso, basta echar un poco de agua en la olla, colocar dentro de ella una fuente o un plato con los ingredientes, taparla y ponerla al fuego para que se caliente, pero sin someterla a presión.

Cocción suave y troceado fino

Una de las características de la cocina china es la cocción suave de todos los ingredientes, cortados en rodajas, en tiras o en dados.

Corte en rodajas

Debe realizarse en la preparación de las verduras, carne o pescado. Las verduras suelen cortarse transversalmente rodajas del tamaño de un bocado.

Corte en tiras

Cortar primero los ingredientes en rodajas gruesas o finas y luego en tiras.

Corte en dados

Cortar primero en rodajas, luego en tiras gruesas y trocear éstas en dados.

Corte en formas geométricas

Para cortar en cuartos la verdura, hacerlo a lo largo y luego en rodajas. Para cortes rectangulares, separar primero en trozos de 4 a 5 cm y cortarlos luego a lo largo en rodajas finas. Para medias lunas, cortar la verdura a lo largo en dos mitades y luego en rodajas gruesas. También los triángulos y los trozos irregulares o en forma de cuña suelen ser corrientes. Es preciso disponer de un cuchillo bien afilado.

Flores

Hacer a lo largo de la verdura los cortes necesarios para extraer 4 o 6 cuñas y luego cortarlas en rodajas.

Lápices

El corte en forma de lápiz afilado es frecuente en zanahorias, rábanos o pepinos.

Hojas en tiras

Es un modo de cortar a lo largo las hierbas y hojas para ensalada después de haberlas colocado unas sobre otras.

Incisiones

En la carne y el pescado suele hacerse, con un cuchillo, una incisión diagonal de 2 a 3 cm de profundidad en forma de bisel.

Los ingrediente originales

Abalones

Caracoles marinos de carne de color marfil que lo mismo pueden comerse fríos que calientes. Es muy difícil poder conseguirlos frescos. Normalmente se utilizan, junto con la salsa en que vienen envasados. En todo caso se trata de un ingrediente bastante caro.

Agar-agar

Jalea natural obtenida de algas marinas. Es muy resistente al calor y requiere ser desleída lentamente en agua hirviendo. Puede

Los utensilios típicos más importantes de la cocina china son: el wok (sobre todo para las comidas que normalmente se hacen en una sartén) y la olla a vapor de bambú en la que pueden hacerse varias comidas a la vez.

comprarse en paquetes o en polvo o ser sustituida por otra gelatina.

Salsa de ostras

Salsa espesa de color marrón a base de extracto de ostras, salsa de soja y sal.

Brotes de bambú

Se consideran en china como una verdura muy apreciada. Pueden adquirirse en latas o en bolsas de plástico. Los restos deben conservarse en el frigorífico, en un frasco con agua cerrado herméticamente.

Pasta de alubias

La hay de diversos tipos. La de color amarillo es de sabor ligeramente salado. Las más saladas se elaboran a base de alubias blancas, pintas o negras. La de color rojo puede adquirirse también en una variante dulce, para postres. Otras pastas de haba más fuertes son las fabricadas a base de alubias de soja, chile, sal y azúcar. Es la que más se utiliza en la cocina de Se-Chuan.

Alubias negras

Se ofrecen en el mercado en forma de pasta o en lata (fermentadas y en salmuera). También se venden envasadas al vacío. Como son muy saladas, es preciso lavarlas bajo el chorro del agua fría.

Aceite de chile

Es un aceite picante caracterizado por el aroma del chile. Puede prepararse en casa dejando macerar chiles frescos, durante varios días, en aceite vegetal. Una vez filtrado, debe conservarse en un recipiente cerrado.

Salsa de chile

Salsa picante a base de chile, vinagre, sal y ciruelas. Se usa como especia.

Algunos de los ingredientes típicos más importantes:
1 fideos, 2 fideos blancos, 3 brotes de bambú, 4 queso fermentado de alubias de soja, 5 tofu, 6 salsa de soja, 7 brotes de alubias de mungo, 8 genjibre, 9 abalones, 10 castañas de agua, 11 dátiles, 12 semillas de loto, 13 capullos de azucena, 14 cilantro, 15 setas de paja, 16 colmenillas, 17 setas togu, 18 vino de arroz chaosín, 19 avellanas, 20 aceite de chile, 21 aceite de sésamo, 22 glutamato, 23 Agar-Agar, 24 wan-tan, 25 envoltura para rollitos de primavera, 26 pasta de alubias negras, 27 pasta de alubias rojas, 28 salsa de chile, 29 polvo cinco-especias, 30 pimienta de Se-Chuán, 31 salsa hoisín, 32 alubias negras.

Dátiles

Los dátiles secos de la cocina china son pequeños y no tan dulces como los que conocemos generalmente.

Hojas de pasta para rollitos de primavera

Hojas o placas finas de pasta blanca, congeladas o secas. Sucedáneo: hojaldre.

Polvos cinco especias

Mezcla picante de pimienta negra, anís estrellado, semillas de hinojo, clavo y canela.

Glutamato

Polvo casi incoloro elaborado a base de albúmina vegetal que se utiliza para intensificar los sabores.

Salsa de Hoisín

Elaborada a base de salsa de alubias, azúcar, ajo y chile; de sabor picante, ligeramente dulce. Destapada, puede conservarse durante varios meses en el frigorífico.

Jengibre

Puede adquirirse en jarabe, entero y seco, o seco y molido. Las raíces frescas deben pelarse muy bien, luego cocerlas y picarlas o rallarlas. De sabor fuerte.

Cilantro

Esta hierba aromática es y tan popular en Asia como nuestro perejil. Suele emplearse picada.

Yemas de azucena

Llamadas también agujas de oro, estos brotes alargados pueden adquirirse secos. Se distinguen por su delicado aroma y se dice que son un buen calmante. Antes de usarlas hay que hay que dejarlas en remojo en un poco de agua, que luego también se utiliza.

Semillas de loto

Se extraen del cáliz de la flor. Puede adquirirse seco o en jarabe. Las semillas secas, antes de usarlas, deben dejarse ablandar durante 10 minutos en agua fría y luego cocerlas por espacio de 30 minutos.

Fideos

Los fideos y sus variantes a base de pasta son parte integrante de la cocina China. Los de harina de tapioca son muy conocidos. Primero hay que dejarlas ablandar unos minutos en agua caliente. Luego se cortan con unas tijeras. También son muy populares una especie de espaguetis de harina de arroz.

Setas

Colmenillas chinas secas: de color negro, antes de usarlas hay que dejarlas ablandar durante 10 minutos en agua caliente, lavarlas, quitarles los trozos correosos y trocearlas según el tamaño. **Tongus secos:** de color pardo oscuro, es una seta muy aromática. También es preciso dejarla ablandar durante 10 minutos. El agua pude utilizarse luego para salsas. Una vez ablandadas deben escurrirse y trocearlas. **Setas de paja:** aromáticas y de sombrero blanco, se venden en lata.

Col de mostaza

De sabor ligeramente amargo, suele venderse en lata. Sucedáneo: acelgas.

Queso de alubias de soja

Tofu fermentado, rojo o blanco, que puede adquirirse en frascos o enlatado.

Salsa de soja

En China se dinstingue entre la blanca y salada, y la oscura y dulce.

Pimienta de Se-Chuan

Fruto capsular del tamaño de un grano de pimienta. Su picante aroma resulta muy indicado para los asados. Sucedáneo: mezclar chile y pimienta en polvo.

Tofu

Producto de leche de soja parecido al requesón, fresco o en lata, puro o con especias.

Wan-tan

Pequeños hojas cuadrangulares de pasta, congeladas o secas. Sucedáneo: placas de hojaldre.

Castañas de agua

Bulbo de una planta acuática que solo puede adquirirse en latas. Sucedáneo: castañas corrientes.

Vino

En China lo hay de arroz o de mijo. Es famoso el de trigo de Chaosing.

Ostras al vapor

sèng-chiàn-haó

Ingredientes para 4 personas:

200 g de ostras grandes

1 trocito de jengibre, 1 lima

1 cucharada de salsa de ostras

2 cucharadas de vino de arroz

Pimienta blanca recién molida

1 cucharadita de aceite vegetal

Refinada

Por persona:
260 kj/60 kcal
7 g de proteínas · 3 g de grasas
· 2 g de hidratos de carbono.

- Tiempo de preparación:
  30 minutos

1. Precalentar el horno a 175° C.
2. Lavar las ostras bajo el chorro del agua fría y abrirlas cuidadosamente, recogiendo el jugo.
3. Retirar las barbas y desprender la carne de las cáscaras.
4. Pelar el jengibre, picarlo finamente y mezclarlo con la salsa de ostras, el vino de arroz y pimienta al gusto.
5. Poner en cada ostra unas gotas de aceite y 1/2 cucharadita de salsa. Cerrar las ostras con la cáscara superior. Meter al horno (centro) y dejar que se hagan durante 3-5 minutos.
6. Cortar la lima en gajos y adornar con ellos las ostras. Se sirven calientes.

Rollitos de primavera

chūn-yiǎn

Ingredientes para 4 personas:

5 colmenillas chinas, secas

20 hojas de masa de hojaldre

200 g de carne magra de cerdo

1 cucharada de salsa oscura de soja

1 cucharadita de vino de arroz

1 pizca de polvo cinco-especias

1 cucharada de fécula

100 g de gambas peladas

Sal, azúcar y pimienta blanca

3 hojas de col china, 1 cebolleta

50 g de zanahorias

50 g de brotes de bambú, alubias

10 g de fideos chinos blancos

1 l de aceite vegetal neutro

Elaborada

Por persona:
1 400 kj/330 kcal
10 g de proteínas · 25 g de grasas · 20 g de hidratos de carbono.

- Tiempo de preparación:
  1 1/2 hora.

1. Poner las setas en agua templada y mantenerlas 10 minutos en reposo. Descongelar las placas de hojaldre.
2. Cortar la carne de cerdo en tiras y marinarlas 10 minutos en una mezcla de salsa de soja oscura y clara (1 cucharadita de cada), el vino de arroz, el polvo cinco-especias y la fécula. Picar las gambas y marinarlas 5 minutos en una cazuela con 1 cucharadita de salsa clara de soja, sal, azúcar y pimienta.
3. Lavar las hojas de col y cortarlas en juliana fina. Cortar en tiritas los brotes de bambú y las zanahorias. Lavar los gérmenes de alubias. Lavar y picar la cebolleta. Escaldar los fideos chinos, escurrirlos y trocearlos. Lavar las colmenillas, quitarles las partes leñosas y cortarlas en tiritas.
4. Calentar en un wok 2 cucharadas de aceite y glasear la cebolla. Añadir la carne y sofreirla 1/2 minuto, removiendo. Incorporar el resto de los ingredientes y freirlo todo 5 minutos más. Sazonar al gusto y dejar enfriar
5. Poner 2 cucharadas de relleno en cada placa de hojaldre, doblar los extremos hacia adentro y enrollarlas. Humedecer los bordes y presionar bien.
6. Calentar el aceite en el wok y freír los rollitos, en tandas, hasta que se doren. Escurrirlos sobre papel de cocina.

Arriba: ostras al vapor.
Abajo: rollitos de primavera.

Leche frita

zhá-yié-guiú

Ingredientes para 4 personas:

50 g de crema dura de coco

6 cucharadas de fécula

300 cc de leche, 70 g de harina

Sal y pimienta recién molida

1 cucharadita de levadura en polvo

1 l de aceite vegetal neutro

Exquisita

Por persona:
980 kj/230 kcal
5 g de proteínas · 13 g de grasas · 24 g de hidratos de carbono

- Tiempo de preparación:
  3 horas
- Tiempo de reposo:
  2 horas como mínimo

1. Rallar la crema de coco, añadir 3 cucharadas de fécula y de leche, sal y pimienta y trabajarla hasta obtener una pasta suave y sin grumos.
2. Calentar el wok, verter en él la pasta y dejar que se caliente a fuego medio. Agregar el resto de la leche, sin dejar de remover, hasta que espese. Retirar del fuego.
3. Engrasar un molde cuadrado y verter en él la mezcla espesa. Dejar en el frigorífico 2 horas o dejarla cuajar durante la noche.
4. Tamizar en una fuente honda la harina, el resto de la fécula y la levadura en polvo. Agregar 1/8 l de agua y mezclarlo bien hasta

obtener una crema esponjosa. Dejarla reposar durante 20 minutos.
5. Con una cuchara engrasada, formar 16 trozos de pasta de coco fría.
6. Añadir 1 cucharada de aceite a la pasta de harina y el resto calentarlo en el wok. Introducir los trozos de pasta de coco en la pasta de harina (uno a uno) y luego freírlos en el aceite caliente hasta que se doren. Escurrirlos y servirlos con salsa de soja.

Ensalada de Shanghai

sháng-haí-shā-lā

Ingredientes para 4 personas:

120 g de zanahorias

1 pepino, 200 g de tallo de apio

20 g de fideos chinos

100 g de jamón serrano

2 huevos (claras y yemas)

1 cucharada de aceite vegetal

100 g de gambas peladas

Para la salsa:

2 cucharadas de vinagre de vino de arroz o vinagre de fruta

1 cucharada de zumo de limón

3 cucharadas de salsa de soja clara

1 cucharada de azúcar

1 cucharadita de mostaza picante

1 cucharadita de aceite de sésamo

1 cucharadita de pimienta verde

Fácil

Por persona:
1100 kj/260 kcal
17 g de proteínas · 16 g de grasas · 14 g de hidratos de carbono.

- Tiempo de preparación:
  45 minutos

1. Lavar el pepino, cortarlo a lo largo, y extraerle las pepitas. Cortar la pulpa en tiras finas. Lavar las zanahorias y el apio y cortar en tiras.
2. Rociar los fideos con agua hirviendo y dejarlos reposar durante 3 minutos. Pasarlos por agua fría, escurrirlos y cortarlos en trocitos. Cortar el jamón en tiras.
3. Colocar los ingredientes en una fuente. Batir los ingredientes de la salsa y aliñar la ensalada.
4. Batir por separado las yemas y las claras de los huevos. Calentar el aceite en una sartén. Hacer un crepe con cada batido, cortarlos en tiras y adornar con ellas las gambas y la ensalada.

Arriba: leche frita.
Abajo: ensalada de Shanghai.

Salsa agridulce

táng-cú-yiang

Ingredientes para 4 personas:

1 trozo de jengibre

1 diente de ajo

250 cc de zumo de piña

2 cucharadas de tomate

1 cucharada de tomate ketchup

2 cucharadas de vinagre de vino

1 cucharada de zumo de limón

3 cucharadas de azúcar

2 cucharadas de salsa oscura

1 cucharada de aceite vegetal

1 cucharada de fécula

Salsa de chile, vino de arroz

Por persona:
520 kj/120 kcal
1 g de proteínas · 2 g de grasas
· 24 g de hidratos de carbono.

- Tiempo de preparación:
  15 minutos

1. Pelar el jengibre y el ajo y picarlos. Batir el resto de los ingrediente (salvo el aceite, la fécula, la salsa de chile y el vino).
2. Calentar el aceite y glasear la picada de jengibre y ajo. Agregar la salsa y darle un hervor. Desleír la fécula en agua y espesar la salsa. Sazonar con salsa de chile y vino de arroz.

Una variante fría:
Rallar un poco de jengibre y hacer una pasta con 5 dientes de ajo y 1 taza de confitura de albaricoque.

Añadirle 5 cucharadas de vinagre, 1 cucharada de zumo de limón, 1 cucharadita de curry y otra de salsa de soja, y mezclarlo todo.

Salsa de alubias con vino de arroz

yiŭ-niáng

La salsa de alubias es un buen complemento para platos de ave y o de pescado hervido.

Ingredientes para 4 personas:

5 cucharadas de pasta de alubias negras

200 cc de caldo de carne

2 cucharadas de salsa clara de soja

5 cucharadas de vino de arroz

1 cucharada de aceite vegetal

3 dientes de ajo

1 cucharada de fécula

Sal y azúcar, salsa de chile

1/2 cucharadita de aceite de sésamo

Por persona:
190 kj/45 kcal
2 g de proteínas · 2 g de grasas
5 g de hidratos de carbono.

- Tiempo de preparación:
  10 minutos

1. Mezclar bien la pasta de alubias con el caldo, la salsa de soja y el vino de arroz.
2. Calentar el aceite. Pelar los ajos, prensarlos en el aceite y dorarlos. Añadir la

mezcla, remover y darle un hervor. Desleír la fécula en agua y ligar la salsa. Sazonar con el resto de los ingredientes.

Dip de cacahuetes

huā-sheng-yiang̀

Se trata de un dip (salsa espesa) excelente para carne a la parrilla o platos de ave.

Ingredientes para 4 personas:

6 cucharadas de cacahuete

2 cucharadas de vino de arroz

3 cucharadas de requesón

1 cucharada de salsa clara de soja

5 granos de pimienta de Setchuang (machacadas)

Unas gotas de aceite de chile

2 cucharadas de cebollino picado

Por persona:
860 kj/ 200 kcal
10 g de proteínas · 15 g de grasas · 7 g de hidratos de carbono.

- Tiempo de preparación:
  10 minutos

1. Mezclar bien todos los ingredientes
2. Sazonar y espolvorear con el cebollino picado.

Arriba: salsa agridulce. Centro: dip de cacahuetes. Abajo: salsa de alubias con vino de arroz.

Arroz frito con marisco

haï-xiañ-caŏ-fañ

Ingredientes para 4 personas:

2 cebolletas, 4 huevos

1 trocito de jengibre

200 g de guisantes congelados

3 cucharadas de aceite vegetal

250 g de gambas peladas

250 g de carne de cangrejo

1 cucharadita de azúcar

750 g de arroz de grano largo, cocido (250 g en crudo)

3 cucharadas de salsa clara de soja

Pimienta recién molida, sal

Rápida

Por persona:
2 100 kj/500 kcal
40 g de proteínas · 16 g de grasas · 58 g de hidratos de carbono.

- Tiempo de preparación: 25 minutos

1. Limpiar y las cebolletas y cortarlas en aros. Pelar y picar el jengibre. Blanquear los guisantes y escurrirlos.
2. Calentar el aceite en una sartén grande y glasear la parte blanca de las cebolletas y el jengibre. Batir los huevos, salarlos, añadirlos a la sartén y removerlos hasta que se cuajen.
3. Incorporar a la sartén las gambas, el cangrejo y los guisantes. Sazonar con el azúcar y sofreír 1 minuto.
4. Añadir el arroz suelto y freírlo con todo lo demás. Sazonar con sal, salsa de soja, pimienta y sal. Adornar con la parte verde de las cebolletas.

Arroz frito con verduras

kiñ-cāi-chăo-fān

Ingredientes para 4 personas:

Cinco setas tongo secas

10 colmenillas secas, 1 puerro

2 tallos de apio, 2 zanahorias

50 g de brotes de bambú (de lata)

50 g de guisantes (congelados)

50 g de germen de alubias

10 setas de paja (de lata), sal

3 cucharadas de aceite vegetal

125 g de tofu, 10 judías verdes

1 cucharada de jengibre picado

3 cucharadas de salsa clara de soja

750 g de arroz cocido

Pimienta recién molida, azúcar

1 cucharada de cebolleta picada

Vegetariana

Por persona:
1 600 kj/380 kcal
15 g de proteínas · 10 g de grasas · 60 g de hidratos de carbono.

- Tiempo de preparación: 45 minutos

1. Lavar las setas, por separado en 1 taza de agua durante 10 minutos. Lavar el puerro y el apio, las judías verdes y las zanahorias, y picarlo todo. Cortar en dados los brotes de bambú. Blanquear los guisantes y las judías y escurrirlos. Lavar los gérmenes de alubia.
2. Quitar los pedúnculos a las setas tongo y también las partes leñosas. Escurrir las setas paja de lata y picarlas muy finas.
3. Calentar el aceite en el wok, cortar el tofu en dados y rehogarlo. Añadir el puerro y el apio y glasearlo todo. Agregar el resto de las verduras y sazonar con jengibre, 2 cucharadas de salsa de soja, sal y azúcar. Remover durante 2 minutos. Incorporar el arroz y freírlo otros 2 minutos. Rectificar el punto de sazón y servir adornado con cebolleta.

Arriba: arroz con marisco.
Abajo: arroz frito con verduras.

Arroz con gallina

yí-roù-zhēng-tan

Ingredientes para 4 personas:

500 g de menudillos de gallina

1 trocito de jengibre, sal

1 cebolla, azúcar

10 setas tongo secas

2 filetes de pechuga de gallina

1 cucharada de salsa clara de soja

Pimienta recién molida, glutamato

2 cucharadas de aceite vegetal

350 g de arroz de grano largo

1 cebolleta o 1/2 ramillete de cebollino

Económica

Por persona:
1 800 kj/430 kcal
23 g de proteínas · 8 g de grasas · 74 g de hidratos de carbono.

- Tiempo de preparación:
  1 hora y 3/4

1. Lavar los menudillos, ponerlos en una olla y añadirle 1 1/2 l de agua. Pelar el jengibre y rallar la mitad; el resto cortarlo en rodajitas. Pelar la cebolla, trocearle e incorporarla con las rodajitas de jengibre y sal. Cocer tapado, a fuego suave, durante 20 minutos.
2. Lavar las setas y ponerlas a remojo en 1/2 taza de agua caliente. Cortar los filetes de pechuga en tiras y sazonar con la salsa de soja, sal, azúcar, pimienta y glutamato.
3. Escurrir las setas y añadir a la sopa el agua de remojo. Cortar las setas en tiras.
4. Calentar el aceite en una cazuela, añadir el jengibre rallado y glaseado. Agregar el arroz y rehogarlo durante 1 minuto, a fuego lento, removiendo; retirarlo del fuego.
5. Colar el caldo y añadir 1 l de él al arroz. Dejarlo cocer suavemente, volcar el arroz en una fuente refractaria.
6. Añadir al arroz la carne de gallina y las setas, más 200 ml de caldo. Introducir la fuente en la olla de bambú y dejar que se haga al vapor durante 20 minutos.
7. Mientras tanto lavar la cebolleta y picarla muy fina. Luego espolvorear con ella el arroz antes de servirlo.

Sugerencia

La carne de gallina y las setas tongu pueden sazonarse también con 1 cucharada de salsa de ostras y rehogarlo todo durante 2 minutos antes de mezclarlo con el arroz, en cuyo caso deberá acortarse el tiempo de cocción.

Cocinar al vapor es uno de los métodos de cocción más populares de China, debido a que de ese modo los ingredientes conservan de modo especial su auténtico aroma. En esta receta se mezcla el arroz con setas y carne de gallina tierna y se cuece en caldo de gallina.

Empanadillas fritas

zhá-yiaō-zi

Las empanadillas son el plato típico de la cocina del norte de China. Se hacen de diferentes maneras: cocidas, al vapor, al horno o fritas. También varían los rellenos: langostinos, setas, verduras, etc.

Ingredientes para 6 personas.
Para la masa:
300 g de harina de trigo
1/2 cucharadita de sal, 1 huevo
1/4 de cucharadita de aceite de sésamo
Harina para estirar la masa.
Para el relleno:
50 g de langostinos secos
1 1/2 cucharada de vino de arroz
2 cebolletas, pimienta recién molida
1 ramillete de verde de cilantro
250 g de col china, sal
200 g de carne de cerdo picada
6 cucharadas de aceite vegetal
2 cucharaditas de fécula

Elaborada

Por persona:
2 200 kj/520 kcal
25 g de proteínas · 23 g de grasas · 55 g de hidratos de carbono.

- Tiempo de preparación: 2 horas

1. Poner la harina en un recipiente. Añadir sal, el huevo, 5 cucharadas de agua y el aceite de sésamo. Trabajarlo hasta formar una masa suave y esponjosa. Envolverla en un paño húmedo y dejarla reposar 30 minutos, a temperatura ambiente.

2. Lavar los langostinos bajo el chorro de agua fría. Escurrirlos, picarlos y mezclarlos con 1 cucharada de vino de arroz.

3. Lavar las cebolletas y cortarlas en aros finos. Lavar el verde de cilantro, secarlo y picarlo fino. Lavar la col china, retirar el tronco y cortarla en trocitos. Espolvorear con sal y dejar reposar durante 15 minutos.

4. Mezclar la carne picada con sal, pimienta, vino, 2 cucharaditas de aceite vegetal neutro, la fécula y 2 cucharadas de agua. Añadir los langostinos, los aros de cebolleta el cilantro y mezclarlo todo. Escurrir la col china e incorporarla al conjunto. Poner en sitio fresco.

5. Cortar la masa de 4 partes y formar con cada una de ellas un rollo de 2-3 cm de grueso. Luego cortar cada rollo en 10 trocitos y cubrirlos con un paño.

Sugerencia

Utilizar masa congelada de empanadillas o preparar una masa sencilla a base de: 300 g de harina mezclada con 175 g de agua. Amasar la mezcla y proceder como acabamos de describir.

6. Formar una bola con cada trocito. Ir estirándolas con el rodillo sobre una superficie enharinada. Poner en el centro de cada una un poco de relleno. Doblarlas por la mitad, presionando el borde. Colocarlas en una tabla untada de harina.

7. Calentar en un wok el resto del aceite y freír las empanadillas durante 2 minutos. Añadir después 2-3 cucharadas de agua y dejarlas cocer, tapadas, durante 5 minutos.

8. Aumentar el calor, destaparlas y dejar que sigan cociendo hasta que se dore su parte inferior. Servir acompañadas de salsa de soja.

Empanadillas hervidas

sí-chuān-yiaŏ-zi

Ingredientes para 4 personas:

350 g de harina

400 g de filetes de pechuga de gallina

1 clara de huevo, 2 dientes de ajo

1 cucharada de fécula, sal

2 cucharadas de pimienta verde marinada (machacada)

1/4 de cucharadita de polvo cinco-especias

1 pepinillo conservado en vinagre

6 cucharadas de aceite vegetal

6 cucharadas de salsa clara de soja

1 cucharada de vinagre

1 cucharadita de salsa de chile

Por persona:
2 100 kj/500 kcal
33 g de proteínas · 13 g de grasas · 60 g de hidratos de carbono.

- Tiempo de preparación:
  2 horas

1. Amasar la harina con 200 cc de agua hasta obtener una pasta suave. Envolverla y dejarla reposar 30 minutos.
2. Picar la carne de gallina y mezclarla con la clara, la fécula y las especias.
3. Cortar la masa, formar 2-3 rollos y cortar 15 trocitos de cada rollo, cubrirlos con un paño. Sobre una mesa enharinada, ir extendiéndolos en forma de discos. Poner el relleno en cada uno y doblarlos por la mitad.

Presionar los bordes y levantar un poquito los extremos.
4. Poner a hervir agua, agregar las empanadillas y dejarlas que hiervan 3 minutos. Sacarlas y escurrirlas.
5. Pelar y prensar los ajos. Lavar las cebollas y cortarlas en aros, al igual que el pepinillo. Rehogarlo en el wok; añadir la salsa de soja, el vinagre, la salsa de chile y un poco de agua. Dejar hervir y rociar las empanadillas con la mezcla.

Fideos con verdura

guiñ-caì-chaŏ-miàn

Ingredientes para 4 personas:

10 colmenillas chinas secas

5 setas tongu secas

2 dientes de ajo, 1 zanahoria

1 trocito de jengibre, 1 cebolleta

150 g de col china

5 setas de paja (de lata), sal

300 g de fideos chinos de huevo

3 cucharadas de aceite vegetal

5 g de brotes de bambú (de lata)

2 cucharadas de vino de arroz

3 cucharadas de salsa oscura de soja

1 cucharada de Miso

50 g de gérmenes de alubias

1 cucharada de fécula

Por persona:
1 900 kj/450 kcal
19 g de proteínas · 11 g de grasas · 64 g de hidratos de carbono.

- Tiempo de preparación:
  45 minutos

1. Dejar en remojo durante 10 minutos las colmenillas y las setas tongu.
2. Lavar la cebolleta y picarla, pelar los ajos y el jengibre y picarlos. Pelar la zanahoria y cortarla en tiras finas. Lavar la col china y cortarla en juliana.
3. Lavar las colmenillas, quitarles las partes leñosas y trocearlas. Escurrir bien las setas tongu (conservando el agua), quitarles el pedúnculo y cortarlas en tiras. Cortar las setas de paja.
4. Cocer los fideos en agua de sal durante 2 minutos. Calentar el aceite en el wok y salarla. Glasear la cebolleta, el ajo y el jengibre.
5. Añadir las setas, la zanahoria y los brotes de bambú, y dejarlo rehogar 2 minutos. Sazonar con el vino de arroz, la salsa de soja y el Miso. Incorporar los gérmenes de alubias y la col china, y rehogarlo 1 minuto. Desleír la fécula en el agua de remojo y añadirla al wok. Sazonar, dejar que dé un hervor y servir con los fideos.

Arriba: empanadillas hervidas.
Abajo: fideos con verdura.

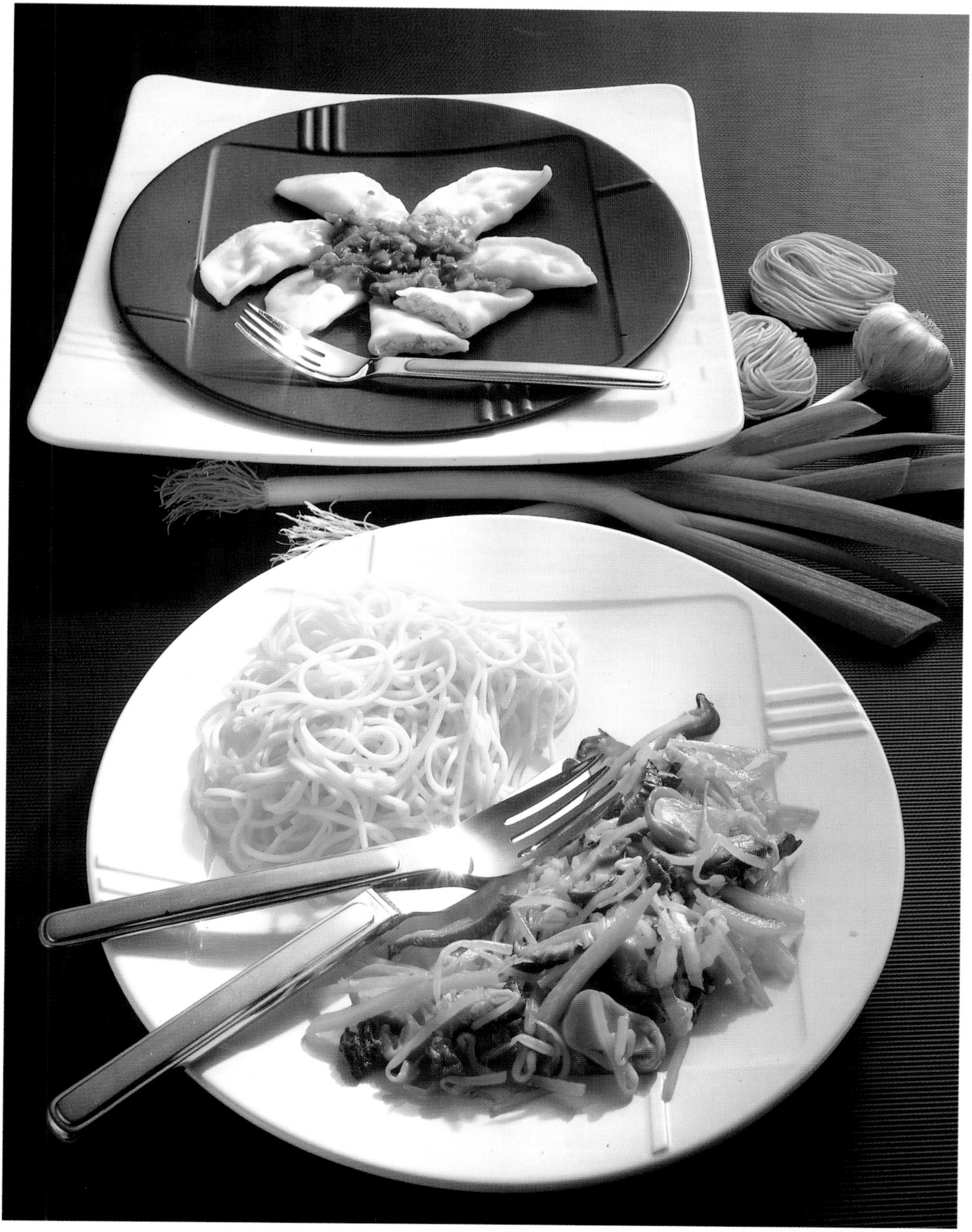

Costillas de cerdo a la antigua

laǒ-shī-zhú-pai

Ingredientes para 4 personas:

1,5-2 kg de costillas de cerdo

1 cucharadita de sal

4 cucharadas de azúcar

4 cucharadas de pasta de alubias negras

2 cucharaditas de pasta de alubias rojas

4 cucharadas de salsa clara de soja

1 cucharada de aceite de sésamo

3 cucharaditas de polvo cinco-especias

1 cucharadita de aceite vegetal

Económica

Por persona:
5 200 kj/1 200 kcal
96 g de proteínas · 84 g de grasas · 24 g de hidratos de carbono.

- Tiempo de preparación: 50 minutos

1. Cortar las costillas de una en una, frotarlas con sal y 2 cucharas de azúcar.
2. Hacer una marinada con la pasta de alubias y el resto de los ingredientes, meter dentro las costillas y dejarlas 20 minutos. Precalentar el horno a 200° C.
3. Meter las costillas al horno (centro) 10 minutos. Darles la vuelta, rociarlas con la marinada y dejar que se hagan otros 10 minutos más.

Darles otra vez la vuelta y volver a rociarlas con la marinada. Dejar otros 10 minutos y servirlas con ensalada de pepino.

Carne de cerdo frita

sǔn-sí-zhú-roú

Ingredientes para 4 personas:

3 cucharadas de salsa clara de soja

2 cucharadas de vino de arroz

Pimienta recién molida, sal

1 cucharada de aceite de sésamo

400 g de carne de cerdo (nuez)

12 colmenillas chinas, secas

1 trocito de jengibre, 1 cebolla

100 g de frutos de anacardos

3 cucharadas de aceite vegetal

200 g de brotes de bambú (de lata) cortados en lonchas

50 g de gérmenes frescos de alubias

Fácil

Por persona:
2 200 kj/520 kcal
32 g de hidratos de carbono · 33 g de grasas · 23 g de hidratos de carbono.

- Tiempo de preparación: 45 minutos.

1. Mezclar 2 cucharadas de salsa de soja con el vino de arroz, 1 cucharada de fécula, sal, pimienta y 1/2 cucharada de aceite de sésamo. Cortar la carne en rodajitas finas, y luego en cuadrados.

Introducirlas en la marinada y dejarlas reposar 15 minutos.
2. Remojar las colmenillas en agua caliente durante 10 minutos. A continuación quitarles las partes leñosas y trocearlas. Pelar la cebolla y cortarla en aros finos. Pelar y picar el jengibre.
3. Dorar en el wok los frutos de anacardo y reservarlos. Calentar en el wok el aceite vegetal y el resto del aceite de sésamo, y rehogar los aros de cebolla y el jengibre.
4. Freír la carne 5 minutos, removiendo, y sacarla del wok. Echar en él los frutos de anacardos reservados, los brotes de bambú, los gérmenes de alubias y las colmenillas. Freirlo todo sin dejar de remover. Sazonar con salsa de soja, sal y pimienta. Mezclarlo con la carne.
5. Desleír la fécula sobrante con un poco de agua, agregarla al wok y dejar cocer durante 1 minuto, a fuego fuerte, removiendo. Servir muy caliente.

Arriba: carne de cerdo frita. Abajo: costillas de cerdo a la antigua.

Solomillo de cerdo al estilo de Cantón

guang-dong-chá-sháo-roù

Ingredientes para 6 personas:

1 kg de solomillo de cerdo

2 dientes de ajo, sal

1 trocito de jengibre

3 cucharadas de salsa clara de soja

1 cucharada de salsa hoisín

1 cucharada de azúcar

1/2 cucharada de polvo cinco-especias

4 cucharadas de vino de arroz

1 cucharadita de aceite de sésamo

Unas gotas de colorante rojo

2 cucharaditas de miel

Refinada

Por persona:
1 400 kj/330 kcal
32 g de proteínas · 21 g de grasas · 5 g de hidratos de carbono.

- Tiempo de preparación: en total 40 minutos.
- Tiempo de marinado: 4-12 horas

1. Cortar los solomillos a la mitad. Picar los ajos y el jengibre, y mezclarlos con los ingredientes (salvo la miel) y hacer una marinada. Introducir en ella la carne y dejarla en reposo durante 4 horas (en el figorífico).
2. Precalentar el horno a 175° C. Colocar la carne en el horno (centro). Poner debajo de la parrilla la fuente de horno con agua.
3. Asar la carne durante 20 minutos, untándola de vez en cuando con la marinada. Darle la vuelta y rociarla de nuevo; dejar otros 10 minutos más, hasta que adquiera un color tostado. Sacarla del horno y untarla con miel. Cortar los solomillos en lonchas y servirlas calientes o frías.

Solomillo con brécol y salsa de ostras

haó-yoú-niú-roù

Ingredientes para 4 personas:

500 g de solomillo de novillo

1 diente de ajo, 1 cebolla

1 trocito de jengibre

3 cucharadas de salsa de ostras

1 cucharada de salsa clara de soja

Pimienta recién molida, sal

3 cucharaditas de fécula

1 cucharadita de aceite de sésamo

500 g de brécol

3 cucharadas de aceite vegetal

Para invitados

Por persona:
1 100 kj/260 kcal
29 g de proteínas · 13 g de grasas · 8 g de hidratos de carbono.

- Tiempo de preparación: 45 minutos.

1. Cortar la carne en lonchas finas y luego en trocitos.
2. Pelar y picar la cebolla, el ajo y el jengibre. Mezclar la mitad de la cebolla, ajo y jengibre con la mitad de las salsas de ostras y soja. Añadir sal, pimienta, 1 cucharadita de fécula y el aceite de sésamo. Removerlo y meter la carne en esta marinada, dejándola reposar 20 minutos.
3. Lavar el brécol y separarlo en ramitas, pelar los troncos y cortarlos en trocitos. Blanquearlo durante 3 minutos en agua de sal, escurrirlo y reservar el jugo.
4. Calentar el aceite en el wok y glasear el resto de la cebolla, ajo y jengibre. Añadir la carne y freirla. Sacarla del wok una vez glaseada.
5. Rehogar el brécol a fuego medio. Desleír la fécula en el agua de cocer el brécol y verterla en el wok. Darle un hervor hasta que espese. Incorporar la carne y mezclarla con el brécol. Sazonar con el resto de los ingredientes.

Arriba: solomillo de cerdo al estilo de Cantón. Abajo: solomillo con brécol y salsa de ostras.

Carne de novillo envuelta

haó-zhǐ-bao-niú-roù

Ingredientes para 4 personas:

1 trocito de jengibre

2 cucharadas de salsa clara de soja

Pimienta recién molida, sal

Una cucharadita de aceite de sésamo

2 cucharadas de vino de arroz

4 filetes de lomo de novillo (de 150 g cada uno)

2 cebolletas, un poco de azúcar

250 g de brotes de bambú en lonchas (de lata)

1/8 l de aceite vegetal neutro

1 cucharada de pasta de alubias negras o salsa hoisín

4 trozos de papel apergaminado

Aceite par engrasar el papel

Refinada

Por persona:
1 300 kj/310 kcal
32 g de proteínas · 20 g de grasas · 6 g de hidratos de carbono.

- Tiempo de preparación: 45 minutos.

1. Pelar el jengibre, rallarlo o picarlo y mezclarlo con la salsa de soja, sal, pimienta, el aceite de sésamo y 1 cucharada de vino de arroz. Harinar la carne y dejarla en la marinada por espacio de 20 minutos.

2. Limpiar y lavar las cebolla. Cortarla en trozos largos y luego en juliana fina. Escurrir los brotes de bambú.

3. Extender los papeles y engrasarlos ligeramente con aceite. Poner en cada papel un filete y unas tiras de cebolleta. Cerrar el paquete. Calentar el aceite en el wok y freír los «sobres», 5 minutos por cada cara. Colocarlos sobre una fuente precalentada.

4. Retirar el aceite del wok, dejando 3 cucharadas. Volver a calentarlo y añadir la cebolleta y la pasta de alubias. Sazonar con azúcar y freír sin dejar de remover. Mezclar los brotes de bambú y freírlos 3 minutos. Añadir el vino de arroz y, colocar encima los filetes.

Lomo de novillo con pimientos picantes

lā-shāo-niú-roù

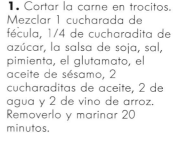

Ingredientes para 6 personas:

| 800 g de lomo de novillo |
| 2 cucharadas de fécula |
| 1 cucharadita larga de azúcar |
| 3 cucharadas de salsa clara de soja |
| Pimienta recién molida, sal |
| Glutamato, 4 cebollas |
| 1 cucharadita de aceite de sésamo |
| 4 cucharadas de aceite vegetal |
| 3 cucharadas de vino de arroz |
| 200 g de pimientos verdes picantes |
| 2 chiles rojos, 4 dientes de ajo |
| 3 cucharadas de pasta de alubias negras |

Fácil

Por persona:
1 200 kj/190 kcal
29 g de proteínas · 11 g de grasas · 15 g de hidratos de carbono.

- Tiempo de preparación:
  45 minutos.

1. Cortar la carne en trocitos. Mezclar 1 cucharada de fécula, 1/4 de cucharadita de azúcar, la salsa de soja, sal, pimienta, el glutamato, el aceite de sésamo, 2 cucharaditas de aceite, 2 de agua y 2 de vino de arroz. Removerlo y marinar 20 minutos.

2. Limpiar los pimientos y el chile, sacar las semillas, y picarlos finamente. Pelar los ajos y picarlos. Lavar las cebolletas y cortar la parte blanca y la verde. Mezclar la pasta de alubias con el azúcar sobrante y un poco de aceite.

3. Calentar en un wok el resto del aceite y glasear los ajos y la parte blanca de las cebolletas. Añadir la pasta de alubias y la picada de chile y sofreirlo. Incorpore la carne y freirla 2 minutos, removiendo. Sacarla del wok.

4. Reducir el calor. Agregar el vino de arroz sobrante y la fécula desleída en un poco de agua. Aumentar de nuevo el calor y dejar hervir la salsa. Añadir los pimientos picados y la parte verde de la cebolletas. Freirlo todo. Finalmente, mezclar la carne con la salsa.

Gallina al vapor

zhēng-jì

Ingredientes para 4 personas:

1 trocito de jengibre

Pimienta recién molida, sal

400 g de pechuga de gallina

2 cucharaditas de vino de arroz

1 cebolleta, 2 dientes de ajo

100 g de tirabeques

200 g de brécol, 1 pimiento rojo

50 g de brotes de bambú (de lata)

100 g de setas de paja (de lata)

2 cucharadas de aceite vegetal

3 cucharadas de salsa clara de soja

2 cucharaditas de fécula

Por persona:
930 kj/220 kcal
29 g de proteínas · 7 g de
grasas · 12 g de hidratos de
carbono.

- Tiempo de preparación:
  1 hora.

1. Pelar el jengibre y los ajos,
picarlos y mezclarlos con sal
y pimienta. Cortar la pechuga
en filetitos y frotarlos con la
mezcla. Colocarlos uno
encima de otro en una fuente
refractaria y rociarlos con un
poco de vino de arroz.
Introducir la fuente en un wok
y cocerlos 20 minutos.
2. Limpiar y lavar las
verduras y trocear la
cebolleta y el pimiento.
Quitar los hilos a los
tirabeques y separar las
ramas del brécol. Picar los
brotes de bambú y las setas.

3. Calentar el aceite y
glasear la cebolla; añadir el
resto de las verduras y
rehogarlas 2 minutos. Añadir
un poco de agua, sal, salsa
de soja y el vino de arroz
sobrante, dejando de cueza 3
minutos. Desleír la fécula en
agua y ligar con ella la salsa
del wok. Colocar la carne de
gallina en una fuente y
añadir la salsa de verdura.
Acompañar de arroz blanco.

Gallina frita

yaó-guǒ-jì

Ingredientes para 4 personas:

5 colmenillas chinas, secas

250 g de pechuga de gallina

2 cucharaditas de salsa clara de soja

2 cucharadas de vino de arroz

1 trocito de jengibre, 3 cebollas

10 setas de paja (de lata), sal

1 pimiento rojo, 1 chile rojo

150 g de guisantes congelados

1/2 l de aceite vegetal neutro

1 clara de huevo

3 cucharadas de fécula

50 g de frutos de anacardo sin sal

Pimienta recién molida

2 cucharaditas de salsa de ostras

Por persona:
1 700 kj/400 kcal
34 g de proteínas · 22 g de
grasas · 20 g de hidratos de
carbono.

- Tiempo de preparación:
  1 hora.

1. Remojar las colmenillas 10
minutos en agua caliente.
Picar bien la carne de gallina
y marinarla durante 15
minutos en una mezcla de sal,
salsa de soja y vino de arroz.
2. Lavar las cebolletas y
trocearlas. Pelar el jengibre,
lavar el chile y picarlos.
Cortar las setas a la mitad.
Lavar el pimiento y cortarlo
en trocitos. Blanquear los
guisantes y escurrirlos. Escurrir
las colmenillas y quitarles las
partes leñosas. Trocearlas.
3. Batir la clara de huevo,
remojar en ella los trozos de
carne y pasarlos por la
fécula. Calentar el aceite en
el wok y freír la carne
durante 3 minutos. Escurrirla.
4. Dejar 2 cucharadas de
aceite en el wok. Calentar y
rehogar las cebolletas y el
jengibre durante 2 minutos,
sin dejar de remover.
Salpimentar. Añadir todos los
ingredientes (salvo la carne) y
también los frutos de
anacardo. Freirlo todo 2
minutos más. Sazonar con sal,
pimienta y salsa de ostras.
Finalmente añadir la carne y
freirla. Se sirve acompañada
de arroz blanco.

Arriba: gallina frita.
Abajo: gallina al vapor

Codornices a las especias

kaŏ-zŭ-ke

Ingredientes para 4 personas:

8 codornices limpias, azúcar

1 cucharadita de polvo cinco-especias

3 cucharadas de vino de arroz

2 cucharaditas de salsa clara de soja

1/2 cucharadita de aceite de sésamo

1/4 l de aceite vegetal neutro

1 cucharadita de fécula, sal

Para la salsa:

1 cebolleta, 3 dientes de ajo

1 trocito de jengibre

1 ramillete de verde de cilantro

200 g de caldo de gallina

4 cucharadas de vino de arroz

2 cucharadas de salsa oscura de soja

1 cucharadita de pimienta de Sechuan molida

2 cucharaditas de fécula

Por persona:
1 500 kj/360 kcal
47 g de proteínas · 15 g de grasas · 6 g de hidratos de carbono.

- Tiempo de preparación: 45 minutos.

1. Mezclar el polvo cinco-especias con sal y azúcar y frotar las codornices. Hacer una marinada con vino de arroz, salsa de soja, sal y aceite de sésamo. Introducir las codornices y dejarlas 30 minutos.

2. Para la salsa, lavar la cebolleta y pelar los ajos y el jengibre. Lavar el cilantro y picarlo todo.
3. Calentar el aceite en el wok. Espolvorear las codornices con la fécula y freirlas 3-4 minutos. Reservarlas en un plato.
4. Dejar 2 cucharadas de aceite en el wok. Glasear la cebolleta, el ajo y el jengibre. Añadir el caldo, el vino de arroz, la salsa de soja y el cilantro. Dejar cocer durante 5 minutos, a fuego muy suave. Colar la salsa, cocerla y salpimentarla. Ligar al salsa con fécula desleída en agua y rociar las codornices.

Solomillo de pavo con lichis

lián-yì-huŏ-yí

Ingredientes para 4 personas:

10 colmenillas chinas, secas

500 g de pechuga de pavo

Sal, azúcar y pimienta

2 cucharadas de vino de arroz

100 g de brotes de bambú

250 g de brécol, 3 cebolletas

1 lata pequeña de lichis

1 cucharada de salsa clara de soja

1 cucharadita de vinagre

1 cucharadita de salsa de chile

6 cucharadas de aceite vegetal

1 cucharadita de jengibre picado

1/2 taza de semillas de loto

2 cucharadas de fécula

Por persona:
1 800 kj/430 kcal
37 g de proteínas · 19 g de grasas · 25 g de hidratos de carbono.

- Tiempo de preparación: 1 hora.

1. Remojar las colmenillas. Cortar la carne en trozos y marinarla durante 20 minutos en sal, azúcar y vino de arroz.
2. Lavar las cebolletas y trocear la parte blanca y la verde. Trocear los brotes de bambú. Lavar el brécol y separarlo en ramitas.
3. Mezclar 2 cucharadas de jugo de lichis con la salsa de soja, sal vinagre, salsa de chile, 1 cucharada de azúcar, sal, y pimienta y removerlo bien. Escurrir las colmenillas, quitarles las partes leñosas y trocearlas.
4. Calentar el aceite y freír la parte blanca de las cebolletas y el jengibre. Añadir la carne y freirla durante 1 minuto.
5. Reducir el calor y añadir los brotes de bambú, el brécol y las colmenillas. Freirlo todo. Agregar la salsa y dejar que dé un hervor. Agregar las semillas de loto y los lichis y dejarlo todo 2 minutos más a fuego suave. Desleír la fécula en agua y ligar la salsa. Sazonar y servir con la parte verde de las cebolletas.

Arriba: solomillo de pavo con lichis. Abajo: codornices a las especias.

Pato estofado «Ocho delicias»

bā-baŏ-yā

Ingredientes para 4 personas:

6 colmenillas chinas, secas

6 setas tongu, secas

50 g de capullos de azucena

1 pato (de 1,5 kg aprox.)

1 trocito de jengibre, sal

La cáscara rallada de una naranja

1/4 de cucharadita de polvo cinco-especias

1/4 de cucharadita de pimienta

1 cucharada de salsa hoisín

2 cucharadas de salsa clara de soja

50 g de semillas de loto (de lata)

50 g de frutos de anacardo sin sal

100 g de guisantes congelados

2 cucharadas de aceite vegetal

5 dátiles chinos, secos

5 ciruelas pasas

1 cucharadita de fécula

1 cucharadita de vino de arroz

Para invitados

Por persona:
4 800 kj/1 100 kcal
76 g de proteínas · 79 g de grasas · 31 g de hidratos de carbono.

- Tiempo de preparación: 2 horas.

1. Limpiar el pato, lavarlo y secarlo. Cortarlo por la mitad. Cortar el cuello, las alas y los muslos y trocear el resto. Ponerlo todo en una cazuela y cubrirlo con agua. Salar y dejar que cueza durante 20 minutos, a fuego lento. Sacarlo del agua y secarlo.

2. Pelar y picar el jengibre y mezclarlo con la cáscara rallada de naranja, los polvos cinco-especias, 1/4 de cucharadita de sal, pimienta, la salsa de hoisín y 1 cucharadita de salsa de soja. Removerlo todo y frotar el pato con la mezcla. Dejarlo en reposo durante 10 minutos.

3. Escurrir las semillas de loto y mezclarlas con los frutos de anacardo. Rociar los guisantes con agua hirviendo, escurrirlos y añadirlos.

4. Lavar las colmenillas y quitarles las partes leñosas y el pedúnculo. Quitar el pedúnculo a las setas tongu y exprimir bien los sombrerillos. Reservar el agua de remojo. Picar las setas.

5. Quitar el rabillo a los capullos de azucena, cortarlos a la mitad y hacer un nudo en cada acícula.

6. Quitar al pato los restos de marinada y reservarlos. Calentar el aceite en el wok y dorar los trozos de pato.

Añadir las setas, los capullos de azucena y la mezcla de guisantes, Dejar que cueza todo durante dos minutos y añadir luego el agua de remojo y la marinada raspada del pato. Tapar y dejar estofar durante 15 minutos, a fuego suave.

7. Dar la vuelta a los trozos de pato y añadir los dátiles y las ciruelas deshuesados y cortados. Tapar de nuevo el wok y dejarlo al fuego otros 15 minutos más hasta que la carne esté tierna. Retirar del fuego.

8. Cortar el pato en trozos más pequeños y colocarlo en una fuente con el resto de los ingredientes del wok.

9. Calentar de nuevo el wok. Colar el caldo de cocer el pato y verter 200 ml del mismo en el wok. Añadir la salsa de soja sobrante. Desleír la fécula en un poco de agua y ligar la salsa. Sazonar con el vino de arroz, sal y pimienta. Rociar el pato con la salsa y servir enseguida.

Este pato estofado debería ser el plato por excelencia para celebrar la fiesta más próxima. Puede prepararse también con solo cuatro o seis delicias en caso de que éstas no puedan conseguirse facilmente.

Pato
a la pekinesa

beì-yiñg-kaǒ-yā

Ingredientes para 6 personas:

1 pato limpio (de unos 2 kg)

5 cucharadas de vino de arroz

1 cucharada de miel, vinagre

2 cucharadas de zumo de limón

2 cucharaditas de fécula, sal

1/2 cucharadita de aceite de sésamo

Para la salsa:

1 taza de salsa hoisín

1 cucharadita de vino de arroz

1 cucharadita de aceite de sésamo

Un poco de salsa de chile

Elaborada

Por persona:
3 300 kj/790 kcal
62 g de proteínas · 57 g de grasas · 4 g de hidratos de carbono.

- Tiempo de preparación: 1 1/2 h.
- Marinado y reposo: 12 horas.

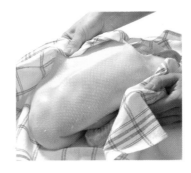

1. Limpiar el pato, lavarlo, secarlo y quitarle la grasa. Hervir 2 l de agua con un poco de vinagre y mantener el pato sumergido durante 1-2 minutos. Sacarlo del agua, secarlo bien con un paño, dándole un masaje para que la piel se despegue.

2. Colgarlo y dejarlo 2 horas en un lugar fresco y aireado.

3. Mezclar 1/2 taza de agua caliente, el vino de arroz, la miel, el zumo de limón, la fécula y el aceite de sésamo. Untar el pato con la mezcla. Dejar secar y, al cabo de 1 hora, volver a untarlo. Repetir otras tres o cuatro veces y, dejarlo secar durante 5 horas.

4. Precalentar el horno a 175° C. Colocar en pato en la parrilla, con la pechuga hacia arriba, y meterlo al horno. Poner en la bandeja inferior, debajo de la parrilla, un poco de agua y dejar que el pato se ase durante 20 minutos.

5. Sacar el pato del horno y escurrir el jugo del interior en un recipiente. Volver a colocar el pato en la parrilla, esta vez con la pechuga hacia abajo, y asarlo otros 20 minutos más. Pintarlo de vez en cuando con la mezcla del glaseado.

6. Darle la vuelta nuevamente y escurrir el jugo interior. Colocarlo con la pechuga hacia arriba y asarlo otros 20 minutos esta vez sin la bandeja con agua. Si se advierte que el pato se tuesta demasiado, reducir el calor a 150° C.

7. Sacarlo del horno y separar la piel de la carne. Deshuesar la carne y cortarla en trozos pequeños. Mezclar en una cazuela los ingredientes de la salsa con 100 ml de agua y dar un hervor.

8. Servir la carne junto con la piel, cortada también en trocitos. Acompañar con la salsa y pan de camarones, crepes de mandarín y cebolletas.

Sugerencia

El pato a la pequinesa se sirve de manera muy especial: se cubre el fondo de una fuente grande con trozos de pan de camarones. Luego se coloca encima la piel del pato. La salsa se sirve en boles individuales y la carne por separado, adornada con las cebolletas. Otra guarnición son los crepes de mandarín. Cada comensal se sirve un crepe en el plato, luego las cebolletas cortadas en juliana y unos trocitos de la piel del pato. También puede añadirse la carne. El crepé se enrolla con el relleno y antes de comerlo se moja en la salsa. Cuando se sirve la carne por separado, suele acompañarse de salsa de ostras y verduras.

Crepes de mandarín

Mezclar 1 taza y 1/2 de harina con un poco de sal y 1 taza de agua hirviendo. Dejar enfriar y amasar la mezcla hasta obtener una pasta suave. Formar rollos y cortarlos en rodajas. Aplastarlas, untarlas de aceite de sésamo y ponerlas de dos en dos, unidas por la parte engrasada. Estirarlas y luego freírlas, hasta que empiecen a formarse burbujas.

Gambas a la gabardina

zhá-dá-xiā

Ingredientes para 4 personas:
24 de gambas grandes
Pimienta blanca recién molida
2 pimientos verdes
2 cucharadas de harina, sal
4 cucharadas de fécula
1 1/2 cucharadita de levadura
1/2 l de aceite vegetal neutro

Exquisita

Por persona:
1 700 kj/400 kcal
31 g de protíenas · 21 g de grasas · 22 g de hidratos de carbono.

- Tiempo de preparación: 1 hora

1. Separar los caparazones de las gambas hasta la cola, sacarles los intestinos, haciendo un corte en la parte superior con la punta de un cuchillo. Practicar otro corte por abajo, desde la cabeza hasta la cola y salpimentarlas.

2. Lavar los pimientos y cortarlos en trozos grandes.

3. Poner la harina en un cuenco junto con la fécula y la levadura en polvo. Agregar 8 cucharadas de agua y mezclarlo todo bien hasta obtener una pasta cremosa. Dejar reposar 5 minutos y luego añadirle 2 cucharaditas de aceite.

4. Calentar en un wok el resto del aceite. Envolver las gambas en la pasta, sujetándolas por la cola y freírlas en el aceite hirviendo durante 2-3 minutos. Escurrirlas sobre papel de cocina.

5. Freír los trozos de pimiento durante 3 minutos, escurrirlos y colocarlos en el centro de una fuente. Colocar las gambas alrededor, con las colas hacia fuera. Servir con salsa de soja, salsa de chile o una salsa agridulce.

Buñuelos de gambas

cuí-xiā-yiaŏ

Ingredientes para 4 personas:
500 g de gambas peladas
5 castañas de agua (de lata)
50 g de tocino fresco
1 cucharadita de sal, azúcar
Pimienta, 1 clara de huevo
2 cucharaditas de fécula
6 rebanadas de pan blanco
1 l de aceite vegetal neutro

Exquisita

Por persona:
2 200 kj/520 kcal
27 g de proteínas · 36 g de grasas · 23 g de hidratos de carbono.

- Tiempo de preparación: 1 hora

1. Trocear las gambas y conservarlas en sitio fresco. Escurrir las castañas y picarlas. Picar el tocino.

2. En un recipiente, mezclar las gambas, el tocino y la fécula con sal, pimienta y un poquito de azúcar. Remover y añadir las castañas y la clara de huevo, ligeramente batida. Hacer una masa con todo y dejarla reposar durante 20 minutos en el frigorífico.

3. Quitar la corteza al pan y cortarlo en daditos. Extenderlos en una tabla. Añadir la pasta de gambas y 1 cucharadita de aceite; remover y formar con ella buñuelitos del tamaño de una nuez. Envolverlos en las migas de pan.

4. Calentar el aceite en el wok y freír los buñuelos hasta que se doren. Dejar que escurran y luego servirlos acompañados de arroz blanco y salsa agridulce de soja.

Arriba: gambas a la gabardina.
Abajo: buñuelos de gambas.

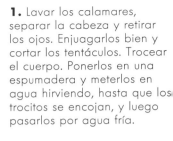

Calamares fritos con salsa de alubias

yiàng-shāo-yoú-yú

Ingredientes para 4 personas:
800 g de calamares
4 cebolletas
8 dientes de ajo
1 trozo de jengibre del tamaño de una nuez
2 chiles rojos, pequeños
4 cucharaditas de fécula
1/4 l de aceite vegetal para freír
4 cucharadas de pasta negra de alubias
2 cucharadas de vino de arroz

Refinada

Por persona:
1 520 kj/360 kcal
42 g de proteínas · 18 g de grasas · 9 g de hidratos de carbono.

- Tiempo de preparación: 40 minutos.

1. Lavar los calamares, separar la cabeza y retirar los ojos. Enjuagarlos bien y cortar los tentáculos. Trocear el cuerpo. Ponerlos en una espumadera y meterlos en agua hirviendo, hasta que los trocitos se encojan, y luego pasarlos por agua fría.

2. Lavar las cebolletas y cortarlas en trocitos, separando la parte blanca de la verde. Pelar los ajos y el jengibre, limpiar los chiles y hacer con todo una picada fina. Desleír la fécula en la salsa de ostras y 1 cucharada de agua.

3. Calentar el aceite en el wok y meter dentro los calamares. Pasados 10 segundo, sacarlos y reservarlos. Quitar el aceite del wok, dejando solo 2 cucharadas. Volver a calentarlo.

4. Glasear en el wok la parte blanca de las cebolletas, los ajos y el jengibre. Añadir los chiles y la pasta de alubias. Incorporar los calamares y freirlo todo durante unos segundos. Añadir la fécula desleída y dar un hervor. Rociar con el vino de arroz y espolvorear con el verde de las cebolletas.

Besugo glaseado a la miel

mī-zhī-li-yú

Para preparar el aceite de chile; lavar 200 g de chiles rojos y luego quitarles las semillas. Calentar en el wok 1/4 de litro de aceite de cacahuete, añadir los chiles y retirar del fuego. Dejar enfriar y conservar tapado en el frigorífico.

Ingredientes para 4 personas:

4 besugos limpios de 250-300 g

1/2 cucharada de pimienta molida de Se-chuan

1 cucharada de jengibre conservado en vinagre

1/2 cucharada de miel

1/2 cucharadita de jengibre en polvo

3 cucharadas de vinagre, sal

Un poco de aceite de chile

1 cucharadita de cáscara de naranja rallada

2 cucharadas de aceite vegetal

1 cucharadita de aceite de sésamo

1/2 ramillete de verde de cilantro

4 rodajas de lima, 1 cebolleta

Exquisita

Por persona:
810 kj/190 kcal
32 g de proteínas · 5 g de grasas · 5 g de hidratos de carbono.

- Tiempo de preparación: 30 minutos

1. Con un cuchillo afilado, hacer a los besugos unos dibujos en forma de rombos por ambos lados. Luego salpimentarlos por dentro y por fuera.

2. Precalentar el horno a 200° C, picar el jengibre y mezclarlo con la miel, el jengibre en polvo, el vinagre, el aceite de chile, la ralladura de cáscara de naranja y el aceite vegetal. Untar bien los besugos, por dentro y por fuera.

3. Colocarlos en la parrilla del horno (en el centro) y asarlos durante 15 minutos. Darles la vuelta de vez en cuando y rociarlos con la mezcla de glaseado.

4. Lavar las cebolletas, cortarlas en trocitos de 3 cm de largo y meterlas en agua fría. Servir en una fuente adornada con las cebolletas, verde de cilantro y rodajas de lima.

41

Abalones con salsa de ostras

háo-yú-baō-yú

Ingredientes para 4 personas:

400 g de abalones (de lata)

200 cc de caldo de gallina

1 trocito de jengibre, 3 cholotas

2 cucharadas de aceite vegetal

50 g de brotes de bambú

50 g de guisantes congelados

1 cucharada de vino de arroz

1 cucharadita de pimienta verde

4 cucharadas de salsa de ostras

1 pizca de sal

1 cucharada de fécula

1/4 de cucharadita de aceite de sésamo

Cilantro verde picado

Exquisita

Por persona:
810 kj/190 kcal
32 g de proteínas · 5 g de grasas · 5 g de hidratos de carbono.

- Tiempo de preparación: 30 minutos

1. Escurrir los abalones, ponerlos en una cazuela junto con el caldo de gallina y calentarlos. Sacarlos del caldo y cortarlos en lonchas. Reservar el caldo.
2. Pelar el jengibre y las chalotas, picarlos y glasearlos en el wok. Añadir los brotes de bambú y los guisantes y freírlo todo durante 3 minutos.

3. Agregar el vino de arroz, la pimienta, la salsa de ostras, la sal, el azúcar y el caldo de gallina y llevar a ebullición. Desleír la fécula en agua y ligar la salsa. Sazonar.
4. Rociar los abalones con la salsa y el aceite de sésamo. Servirlos espolvoreados con el verde de cilantro.

Pescado frito con salsa agridulce

táng-cù-yú

Ingredientes para 2 personas:

500 g de besugo (por ejemplo)

Sal, polvo cinco-especias

2 dientes de ajo, 1 cebolla

1 trocito de jengibre, 1 zanahoria

50 g de guisantes congelados

3 cucharadas de salsa de soja

2 cucharadas de vino de arroz

1 cucharada de tomate

2 cucharadas de ketchup

2 cucharadas de vinagre

2 cucharadas de azúcar

60 g de fécula, 1 huevo

1/2 l de aceite vegetal neutro

Refinada

Por persona:
2 700 kj/640 kcal
30 g de proteínas · 33 g de grasas · 56 g de hidratos de carbono.

- Tiempo de preparación: 1 hora

1. Con un cuchillo, hacer al pescado, unos dibujos en forma de rombo. Sazonarlo y por dentro y por fuera con sal y polvo cinco-especias.
2. Pelar la cebolla, cortarla en lonchitas. Pelar los ajos y el jengibre y picarlos. Pelar la zanahoria y cortarla en rodajitas. Cocer los guisantes y escurrirlos.
3. Mezclar la salsa de soja, el vino de arroz, el tomate concentrado, el ketchup, el vinagre, el azúcar y 200 cc de agua. Desleír 1 cucharada de fécula en agua.
4. Calentar el aceite en el wok y batir el huevo. Pasar el pescado por el huevo y luego por la fécula. Freírlo 5 minutos por cada lado. Escurrirlo bien y mantenerlo caliente.
5. Retirar el aceite del work, dejando solo 1 cucharada. Calentarlo y rehogar la cebolla, el ajo, el jengibre, la zanahoria y los guisantes sin dejar de remover.
6. Añadir la mezcla de salsa y ligar con la fécula. Sazonar y verter sobre el pescado.

Arriba: pescado frito con salsa agridulce. Abajo: abalones con salsa de ostras.

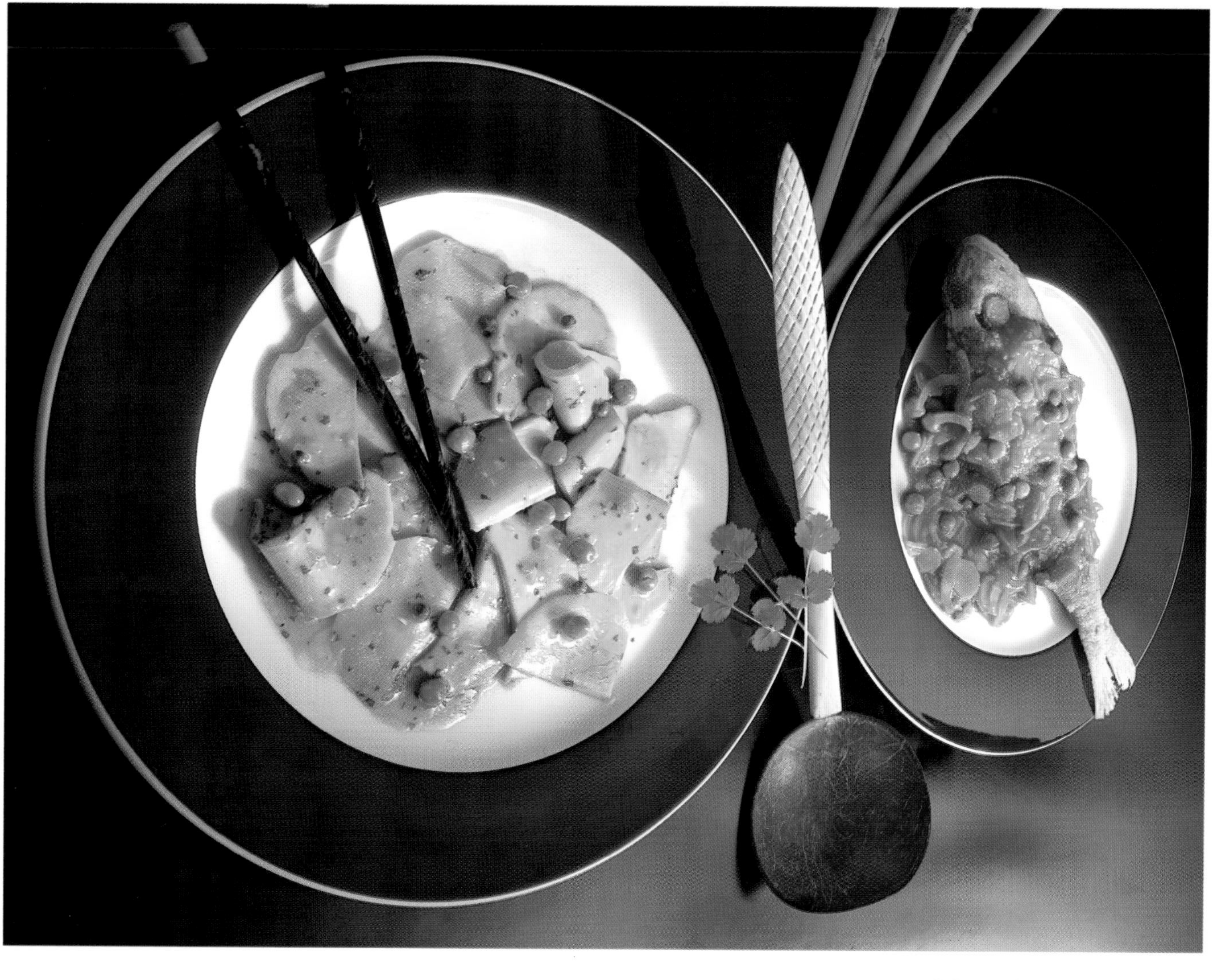

Carpas al estilo de Se-Chuan

sì-chuān-lí-yú

Ingredientes para 4 personas:

1 carpa limpia de 1,5 kg

Vinagre, sal, azúcar, pimienta

2 cucharadas de fécula

3 dientes de ajo, 2 cebolletas

1 trocito de jengibre

2 pimientos verdes, picantes

2 cucharadas de pasta de alubias de soja (Miso)

1 cucharada de salsa oscura de soja

2 cucharadas de vino de arroz

1 cucharadita de salsa de chile

200 ml de caldo de gallina

4 cucharadas de aceite vegetal

Refinada

Por persona:
1 700 kj/400 kcal
42 g de proteínas · 20 g de grasas · 11 g de hidratos de carbono.

- Tiempo de preparación: 50 minutos.

1. Hacer unos cortes a la carpa con un cuchillo y sazonarla bien con vinagre, sal, azúcar y pimienta. Espolvorearla con fécula.
2. Pelar los ajos y el jengibre y picarlos. Lavar y trocear las cebolletas. Lavar los pimientos, quitarles las semillas y trocearlos. Mezclar la pasta de alubias con la salsa de soja, el vino de arroz, la salsa de chile y el caldo de gallina.
3. Calentar el aceite en una sartén y rehogar el ajo y el jengibre. Freír la carpa 3-5 minutos, por cada lado. Sacarla de la sartén.
4. Rehogar las cebolletas y los pimientos, añadir la salsa y dejar dar un hervor. Meter el pescado y cocerlo tapado a fuego suave durante 20 minutos. Sacarlo y servirlo en una fuente y rociar la carpa con la salsa.

Carpas al vapor

kín-zheṅg-lí-yú

Ingredientes para 4 personas:

Cilantro picado, 3 setas secas

3 colmenillas tongu, secas

1 carpa limpia de 1,300 kg

2 cucharadas de zumo de limón

1 trocito de jengibre, sal

8 cucharadas de vino de arroz

4 cucharadas de salsa hoisín

Aceite de sésamo, 1 tallo de apio

1 rodaja fina de piña, 1 cebolleta

20 g de fideos chinos, blancos

1 cucharada de salsa clara de soja

Para invitados

Por persona:
2 500 kj/600 kcal
82 g de proteínas · 21 g de grasas · 16 g de hidratos de carbono.

- Tiempo de preparación: 1 hora

1. Remojar en agua las dos clases de setas. Lavar la carpa, secarla, rociarla con zumo de limón y salarla. Hacerle unos cortes.
2. Pelar el jengibre, rallarlo y mezclarlo con 3 cucharadas de vino de arroz, sal y 1 cucharada de salsa hoisín. Untar el pescado. Colocarlo en una fuente refractaria y cocerlo al vapor durante 10-15 minutos.
3. Lavar el apio, y picarlo. Pelar la rodaja de piña y cortarla en tiras. Remojar los fideos en agua hirviendo y cortarlo en trozos. Lavar la cebolleta y cortarla en tiras de unos 3 cm.
4. Exprimir las setas tongu, quitarles el pedúnculo y cuartearlas. Hacer lo mismo con las colmenillas.
5. Hervir en el wok la salsa de soja, la salsa hoisín sobrante y el vino de arroz. Añadir los ingredientes y dejar cocer. Rociar la carpa con la salsa hervida y dejar en la olla durante 5 minutos. Rociar con el aceite de sésamo, espolvorearla con cilantro y servirla.

Arriba: carpas al estilo de Se-Chuán. Abajo: carpas al vapor.

Verdura estofada

kaŏ-qiñ-caí

Ingredientes para 4 personas:

10 setas tongu, secas, azúcar

20 panojas frescas de maíz

1 lata pequeña de setas silvestres

200 g de brotes de bambú en rodajas (de lata)

3 cucharadas de aceite vegetal

2 cucharadas de salsa clara de soja

Fácil

Por persona:
910 kj/220 kcal
8 g de proteínas · 8 g de grasas · 29 g de hidratos de carbono.

- Tiempo de preparación: 30 minutos

1. Lavar las setas tongu y dejarles en remojo durante 10 minutos en agua caliente.
2. Quitar el rabillo a las panojas, lavarlas y cocerlas 5 minutos en agua de sal. Quitar el pedúnculo a las setas tongu, exprimirlas sobre el agua de remojo y reservarla. Escurrir las setas silvestres y cortarlas a la mitad. Escurrir los brotes de bambú.
3. Rehogar las setas durante 5 minutos. Mezclar los ingredientes y agregar el agua de las setas y del maíz. Cocer a fuego suave durante 15-20 minutos.

Albóndigas de harina con setas

zháo-miañ-yiñ-qiñ-caí

En la cocina chinobudista, las albóndigas son de rigor. La receta original lleva harina de trigo duro. Pueden hacerse también dejándolas cocer en agua de sal durante unos 5 minutos.

Ingredientes para 4 personas:

Para las albndigas:

1 kg de harina de trigo

1 1/2 cucharadita de sal

1/2 l de aceite vegetal para freír

Para la salsa:

10 colmenillas, secas

10 setas de tongu, secas

3 cucharadas de aceite vegetal

1 cucharada de jengibre picado

10 setas de paja (de lata)

50 g de brotes de bambú (de lata)

6 cucharadas de salsa clara de soja

6 cucharadas de salsa hoisín

Azúcar y pimienta, sal

Elaborada

Por persona:
1 800 kj/430 kcal
9 g de proteínas · 26 g de grasas · 40 g de hidratos de carbono.

- Tiempo de preparación: en total 1 hora y media
- En reposo: 1-2 horas.

1. Para preparar las albóndigas, mezclar la harina con 1/2 de agua templada y sal. Trabajar bien la mezcla hasta obtener una masa esponjosa y elástica. Taparla con un paño húmedo y dejarla reposar 1-2 horas.
2. Poner la masa en un colador y amasarla, debajo del chorro del agua fría, hasta que el agua salga completamente clara (de esta forma queda solamente el gluten).
3. Para la salsa, remojar 10 minutos las dos clases de setas en 1 taza de agua caliente. Lavar las colmenillas, retirar las partes leñosas y trocear las setas. Exprimir las setas tongu sobre el agua de remojo y reservarla. Quitar los pedúnculos y cortarlos a la mitad.
4. Calentar el aceite en el wok y salarlo. Glasear el jengibre y añadirle todas las setas para que se rehoguen. Añadir los brotes de bambú y freírlos, sin dejar de remover. Sazonar con el agua de las setas, la salsa de soja y de hoisín, sal, azúcar y pimienta. Tapar y estofar 15-20 minutos.
5. Exprimir el gluten y formar 20 albondiguillas. Calentar el aceite y freírlas durante 2 minutos. Sacarlas y escurrirlas. Servir con la verdura.

Arriba: albondigas de harina con setas. Abajo: verdura estofada.

Rollitos de espinacas

baỡ -cã i-juan

Ingredientes para 4 personas:
20 hojas grandes de espinacas
2 dientes de ajo, 1 cebolleta
1 trocito de jengibre, 1 huevo
250 g de tofu
3 cucharadas de salsa clara de soja
1 cucharada de vino de arroz
2 cucharadas de fécula
Pimienta recién molida, sal
1/4 de litro de caldo de verdura
1 poco de aceite de sésamo

Refinada

Por persona:
500 kj/120 kcal
8 g de proteínas · 5 g de grasas
· 11 g de hidratos de carbono.

- Tiempo de preparación:
  45 minutos

1. Lavar bien las hojas de las espinacas, blanquearlas durante 1 minuto en agua hirviendo y escurrirlas.

2. Lavar la cebolleta y cortarla finamente; pelar y picar los ajos y el jengibre y cortar el tofu en daditos. Mezclarlo todo con el huevo, la salsa de soja, el vino de arroz, 1 cucharada de fécula, sal, pimienta y azúcar.

3. Extender las hojas de espinaca sobre la superficie de trabajo y poner en cada una de ella 1 cucharada del relleno. Formar los rodillos y cortarlos en dos.

4. Colocarlos en una cazuela con el corte hacia abajo. Añadir la mitad del caldo y cocerlos tapados durante 5 minutos, a fuego medio. Desleir la fécula sobrante en el resto del caldo y añadirlo a la cazuela. Cocer 2-3 minutos más y servir caliente.

Sugerencia

Los no vegetarianos preparan estos rollitos con carne picada y los cuecen en caldo de gallina, en lugar del caldo de verdura

Col de mostaza al vapor con salsa de habas y queso

yiē-lań-zheńg

Ingredientes para 4 personas:

1 k de col de mostaza o paksoi
(puede sustituirse por acelgas)

1 cebolleta

1 pimiento chile, 3 tomates

5 dados (50 g) de queso de habas
de alubias de soja (de lata)

2 cucharadas de aceite vegetal

1/2 cucharadita de aceite de
sésamo

3 cucharaditas de azúcar

1 cucharadita de salsa clara de
soja

1 cucharada de vino de arroz

1 cucharadita de fécula

Fácil

Por persona:
770 kj/180 kcal
11 g de proteínas · 8 g de
grasas · 16 gr de hidratos de
carbono.

● Tiempo de preparación:
30 minutos.

Sugerencia

En la cocina chinobudista
se sirven a menudo
espinacas o berenjenas
al vapor con esta clase
de salsa, sobre todo en
la cocina vegetariana.

1. Lavar la verdura y quitarle los tallos gruesos. Cortar la parte verde en trozos cortos, ponerlos en el suplemento de la olla de vapor y cocerlos durante 10 minutos con un fondo de agua hirviendo.

2. Lavar y picar la cebolleta. Lavar el chile, hacerle una abertura y sacar las semillas. Picarlo finamente. Escaldar los tomates, pelarlos, quitarles las semillas y picarlos. Aplastar el queso con un tenedor.

3. Calentar en el wok los dos aceites, añadir el azúcar (removiendo) y glasear la cebolleta y el chile. Incorporar los tomates y el queso y freír sin dejar de remover.

4. Agregar la salsa de soja y el vino de arroz. Desleír la fécula en un poco de agua y ligar con ella la salsa. Hervir la verdura en una fuente y verter la salsa. Servir muy caliente.

Brecol agridulce

taṅg-cù-yiè-lán

Ingredientes para 4 personas:

800 g de brecol, 2 zanahorias

250 g de setas de paja (de lata)

1 cebolleta, 1 trocito de jengibre

3 cucharadas de azúcar, sal

2 cucharadas de vinagre

2 cucharadas de ketchup

2 cucharadas de salsa clara de soja

2 cucharaditas de fécula

Para invitados

Por persona:
770 kj/180 kcal
11 g de proteínas · 8 g de grasas · 16 g de hidratos de carbono.

- Tiempo de preparación: 30 minutos.

1. Lavar el brécol y separar los tronquitos. Pelar el tallo y cortarlo en juliana. Ponerlo en una cazuela con 2 tazas de agua; salar y dejar que se haga, tapado, durante 5 minutos. Escurrirlo bien y reservar el agua de cocción.
2. Escurrir las setas de paja, pelar las zanahorias y cortarlas en juliana. Lavar la cebolleta y cortarla en trocitos, separando la parte blanca de la verde. Pelar el jengibre y picarlo.
3. Calentar el aceite en el wok y añadirle un poco de sal y azúcar. Glasear la parte blanca de la cebolleta y el jengibre.
4. Añadir el brécol, las setas de paja y las zanahorias y freirlo todo. Agregar 1 taza de agua de cocer el brecol, un poco de vinagre, ketchup, salsa de soja, sal y el resto del azúcar.
5. Desleir la fécula en un poco de agua y añadirla al wok. Dar un breve hervor. Rectificar el punto de sazón y servir adornado con la parte verde de la cebolleta.

Col china a la crema

năi- yoú-baí-caì

Ingredientes para 4 personas:

800 g de col china

1 trocito de jengibre, pimienta

200 cc de leche, 1 cebolleta

2 cucharadas de fécula, sal

2 cucharadas de aceite vegetal

1/2 ramillete de verde de cilantro

Económica

Por persona:
530 kj/130 kcal
5 g de proteínas · 7 g de grasas · 12 g de hidratos de carbono.

- Tiempo de preparación: 30 minutos

1. Lavar bien la col, cortar las hojas por la mitad y a lo ancho.
2. Pelar y picar el jengibre. Hacer lo mismo con la cebolleta lavada. Batir bien la leche con la fécula, sal y pimienta.
3. Calentar el aceite en el wok, añadir sal y glasear el jengibre y la cebolleta picada. Finalmente añadir la col y freirla durante 3 minutos, dándole vueltas.
4. Agregar el batido de leche y especias y cocer otros 3 minutos más, a fuego medio y removiendo. Sazonar y adornar con verde de cilantro.

Arriba: col china a la crema.
Abajo: brécol agridulce.

Tofu con salsa de soja

yiang̀-chaõ-doú-fǔ

Ingredientes para 4 personas:

500 g de tofu, 3 cebolletas

1 trocito de jengibre, azúcar

2 cucharadas de aceite vegetal

1 cucharada de salsa hoisín

1 cucharada de salsa oscura de soja

1 cucharada de vino de arroz

Rápida

Por persona:
780 kj/190 kcal
10 g de proteínas · 13 g de grasas · 7 g de hidratos de carbono.

- Tiempo de preparación: 20 minutos

1. Cortar el tofu en dados. Lavar las cebolletas y cortarlas en aros, separando la parte blanca de la verde.
2. Pelar el jengibre y picarlo. Calentar el aceite en el wok y glasear la parte blanca de las cebolletas junto con el jengibre. Sazonar con un poco de azúcar.
3. Añadir el tofu y freirlo durante 2 minutos, dándole vueltas. Mezclar la salsa hoisín con la de soja y el vino de arroz e incorporarlo todo al wok. Dejarlo cocer 2 minutos a fuego medio y, mezclar la parte verde de la cebolleta.

Tofu al estilo de Se-Chuan

sì-chuañ-doù-fú

Ingredientes para 4 personas:

8 setas tongu secas, 1 cebolleta

500 g de tofu, 2 dientes de ajo

1 trocito de jengibre, sal

1 zanahoria, azúcar

1 chile rojo

100 g de brotes de bambú (de lata)

1/4 de litro de aceite vegetal

1 cucharada de pimienta verde en conserva

3 cucharadas de salsa oscura de soja

Fácil

Por persona:
1 400 kj/330 kcal
13 g de proteínas · 24 g de grasas · 14 g de hidratos de carbono.

- Tiempo de preparación: 45 minutos

1. Lavar las setas tongu y dejarlas 10 minutos en remojo, en agua caliente. Cortar el tofu a la mitad y salarlo bien.
2. Lavar y trocear la cebolleta. Pelar y picar el jengibre y los ajos. Pelar la zanahoria, lavarla y cortarla en juliana Extraer las semillas del chile, lavarlo y cortarlo en aros finos. Escurrir los brotes de bambú y cortarlos en tiras. Quitar los pedúnculos a las setas y cortarlas en tiras. Reservar el agua de remojo.
3. Calentar de nuevo el

aceite en el wok y dorar los trozos de tofu. Sacarlos y cortarlos en dados de 3 cm. Retirar el aceite del wok, dejando sólo 3 cucharadas.
4. Volver a calentar el wok y glasear la cebolleta, el jengibre y los ajos.
5. Incorporar todos los ingredientes preparados y freirlo todo durante 2 minutos Mezclarlo con el tofu y sazonar con la pimiernta verde, azúcar y salsa de soja. Dejar que se haga durante 5 minutos, a fuego medio. Agregar el agua de remojo de las setas y dejar cocer otros 5 minutos.

Arriba: tofu al estilo de Se-Chuán.
Abajo: tofu con salsa de soja.

Sopa de abalones

baò-yú-tāng

Ingredientes para 4 personas:

500 g de menudillos de gallina

1 trocito de jengibre, 1 cebolla

1/2 ramillete de verde de cilantro

1 cucharadita de pimienta en grano

125 g de pechuga de gallina

2 cucharadas de abalones (de lata)

1 cebolleta, azúcar

Pimienta recién molida, sal

Por persona:
500 kj/120 kcal
21 g de proteínas · 3 g de grasas · 2 g de hidratos de carbono.

- Tiempo de preparación:
  1 hora y 1/2

1. Lavar los menudillos y quitarles la grasa. Pelar la cebolla y trocearla. Pelar el jengibre y machacarlo. Limpiar el cilantro y retirar la raíz. Ponerlo todo en un cazuela con 1 l de agua fría. Añadir la pimienta en grano y llevar a ebullición.
2. Espumar el caldo. Sazonar con sal y azúcar. Cocerlo suavemente durante 30-60 minutos. Colarlo y desengrasarlo con papel de cocina.
3. Cortar la pechuga en tiras finas, salar y rociarla con vino de arroz. Dejar reposar. Cortar los abalones en rodajitas, lavar la cebolleta y picarla.
4. Hervir el caldo y cocer en

él las tiras de pechuga durante 1 minuto. Salpimentar y añadir los abalones y la cebolleta. Cocer unos minutos y aromatizar con vino de arroz.

Sopa de huevos de paloma

diàn-hūa-tañg

Ingredientes para 4 personas:

500 g de huesos para caldo

250 g de costillas de cerdo

250 g de menudillos de gallina

1 trocito de jengibre, 1 cebolla

1/2 tallo de apio, 1 anís estrellado

100 g de filetes de cerdo, azúcar

Pimienta recién molida, sal

1 cucharada de salsa oscura de soja

1 cucharada de vino de arroz

1 cebolleta

1 ramillete de hojas de crisantemo (puede sustituirse por berros)

1 cucharada de aceite vegetal

12 huevos duros de paloma o de codorniz

Unas gotas de aceite de chile

Refinada

Por persona:
830 kj/200 kcal
16 g de proteínas · 17 g de grasas · 3 g de hidratos de carbono.

- Tiempo de preparación:
  2 horas largas

1. Lavar los huesos, las

costillas y los menudillos. Pelar la cebolla y trocearla; pelar el jengibre, machacarlos y trocear el apio. Ponerlo todo en una cazuela y cubrirlo con 1 1/2 l de agua. Sazonar con el anís estrellado, sal y azúcar. Espumar el caldo, quitarle la grasa y cocerlo a fuego suave 1 hora y media. Colarlo, dejar que se enfríe y desengrasarlo.
2. Cortar los filetes de cerdo en tiras finas y mezclarlas con salsa de soja y vino de arroz. Dejarlos 5 minutos en reposo. Lavar y picar la cebolleta, separando la parte blanca de la verde. Lavar las hojas de crisantemo, quitarles la raíz y picarlas.
3. Hervir de nuevo el caldo. Calentar el aceite en el wok y glasear la parte blanca de la cebolleta picada. Añadir la carne y freírla 1 minuto. Agregar el caldo y espumarlo.
4. Pelar los huevos y cocerlos en el caldo, a fuego suave, 1-2 minutos. Aumentar el calor y añadir las hojas de crisantemo. Dar un hervor y sazonar con aceite de chile.

Arriba: sopa de huevos de paloma. Abajo: sopa de abalones.

Sopa de gambas

xiān-xiā-táng

Ingredientes para 4 personas:

1 kg de recortes de pescado

250 g de menudillos de gallina

1 cucharadita de pimienta en grano

1 tallo de apio, 1 cebolla

1/2 ramillete de verde de cilantro

2 puerros tiernos

20-30 gambas peladas

1 cucharada de vino de arroz

1 cucharada de aceite vegetal

2 huevos, pimienta recién molida

1 cucharada de fécula, sal

Un poco de salsa de chile

Unas rodajas de lima

Por persona:
560 kj/130 kcal
14 g de proteínas · 7 g de
grasas · 4 g de hidratos de
carbono.

- Tiempo de preparación:
  1 hora y media.

1. Lavar los recortes de pescado y los menudillos y ponerlos en una cazuela junto con la pimienta en grano. Lavar el apio, pelar la cebolla y trocear ambos. Lavar el cilantro y picarlo. Lavar uno de los puerros y trocearlo. Echar en la cazuela todas las verduras. Cubrirlas con agua fría y llevarla a ebullición. Espumar, salar y cocer, a fuego suave, durante 1 hora. Colar el caldo.
2. Lavar las gambas, salpimentarlas y rociarlas con vino de arroz. Lavar el segundo puerro y picarlo. Calentar el aceite en el wok y rehogar el puerro. Añadir las gambas y freirlas.
3. Hervir de nuevo el caldo. Batir los huevos y añadirlos removiendo. Desleir la fécula en agua y ligar el caldo. Incorporar las gambas, rociar con salsa de chile y espolvorear con el puerro picado. Servir adornado con rodajas de lima.

Sopa agripicante

sūn-lá-tañg

Ingredientes para 4 personas:

5 colmenillas chinas secas

10 capullos de azucena

10 g de fideos blancos

50 g de filetes de cerdo

50 g de pechuga de gallina

Pimienta recién molida, 1 cebolleta

Salsa de soja clara y oscura (2 cucharadas de cada)

50 g de brotes de bambú (de lata)

1 ramillete de verde de cilantro

1 l de caldo de gallina, sal

1 cucharada de vinagre de fruta

1 huevo, salsa de chile

2 cucharadas de fécula

Por persona:
680 kj/160 kcal
11 g de proteínas · 7 g de
grasas · 15 g de hidratos de
carbono.

- Tiempo de preparación:
  1 hora

1. Remojar en agua, las colmenillas, los capullos de azucena y los fideos. Cortar la carne en tiras finas y marinarlas 10 minutos en una mezcla de 1 cucharada de agua, sal, pimienta y la mitad de la salsa de soja.
2. Lavar la cebolleta y picar la parte blanca y la verde. Cortar en tiras los brotes de bambú y picar el verde de cilantro. Limpiar las colmenillas y picarlas. Trocea los capullos de azucena.
3. Hervir el caldo en una cazuela. Calentar el aceite en el wok y glasear la parte blanca de la cebolleta. Añadir la carne, freirla y agregarla al caldo junto con los brotes de bambú y las colmenillas y los capullos de azucena. Dar un hervor y sazonar con las salsas de soja, sal, pimienta y vinagre. Batir el huevo y añadirlo, sin dejar de remover. Ligar la sopa con la fécula desleída. Incorporar los fideos y la salsa de chile y adornar con la parte verde de la cebolleta.

Arriba: sopa agripicante. Abajo: sopa de gambas.

Pastel de frutas al vapor

shuǐ-guǒ-dañ-gáo

La forma genuina de servir este postre es sobre hojas de plátano. Pero puede sustituirse por hojas de vid sumergidas en agua de sal.

Ingredientes para 6 personas:

5 dátiles chinos secos, 4 huevos

5 albaricoques secos (orejones)

2 cucharadas de pasas

2 cucharadas de avellanas

4 cucharadas de azúcar

4 cucharadas de harina

Unas gotas de aceite de almendras amargas

1 cucharada de aceite vegetal

75 g de frutas escarchadas

Para invitados

Por persona:
1 000 kj/240 kcal
7 g de proteínas · 9 g de grasas · 34 g de hidratos de carbono.

- Tiempo de preparación: 50 minutos.

1. Picar los dátiles, orejones, pasas y avellanas. Batir los huevos y el azúcar hasta dejarlos a punto de espuma. Añadir la harina, el extracto de almendras y la mezcla de avellanas y frutos.
2. Engrasar con aceite 6 moldes refractarios. Picar las frutas escarchadas y esparcirlas en los moldes. Rellenarlos con la masa.
3. Introducir los moldes en la olla de vapor con un poco de agua y dejar que se hagan 20 minutos. Volcarlos y servirlos.

Jalea de almendras

xiñg-reñ-doū-fǔ

Ingredientes para 4 personas:

4 hojas de gelatina blanca

2 cucharadas de azúcar

70 g de crema dura de coco

6 gotas de aceite de almendras amargas

200 cc de zumo de naranja

50 g de azúcar moreno

Zumo de 1 lima o limón

100 g de lichis

2 rodajas de piña

4 guindas confitadas

Refinada

Por persona:
1 200 kj/290 kcal
8 g de proteínas · 11 g de grasas · 36 g de hidratos de carbono.

- Tiempo de preparación: en total 1 hora larga.
- Enfriamiento: 1 hora como mínimo.

1. Dejar la gelatina en remojo durante 5 minutos, en agua fría. Hervir 1/4 l de agua junto con el azúcar. Retirar del fuego y desleir dentro la gelatina.
2. Rallar la crema de coco y mezclarla con el aceite de almendras. Echar la mezcla en una fuente plana y dejarlo cuajar en el frigorífico.
3. Hervir los zumos de fruta, el azúcar moreno, el zumo de lima y 1/8 de l de agua hasta que el azúcar se diluya. Dejar enfriar.
4. Cortar en dados la jalea de almendras ya cuajada. Repartir en platitos y rociar con el almibar. Servir adornado con lichis, trocitos de piña y guindas confitadas.

Sugerencia

La crema dura de coco se vende en bloques. La de lata es menos sólida y más dulce. Si usted usa esta crema, prescinda del azúcar. También se vende polvo de coco.

Arriba: jalea de almendras. Abajo pastel de frutas al vapor.

Pau de cumpleaños

soū-táo-baó

Típico postre para fiestas de cumpleaños. En China pintan las bolitas de masa con colorantes alimentarios rosa y verde, y, según la leyenda proporcionan una larga vida.

Ingredientes para 4 personas:
300 g de harina
1 sobrecito de levadura en polvo
5 cucharadas de azúcar glas
3 cucharadas de manteca de cerdo
1/2 cucharadita de vinagre blanco
2 latas de pasta de alubias rojas
Papel de repostería
2 cucharadas de aceite de sésamo

Elaborada

Por persona:
300 kj/710 kcal
9 g de proteínas · 17 g de grasas · 130 g de hidratos de carbono.

- Tiempo de preparación: en total 1 hora larga.
- En reposo: 30 minutos.

1. Tamizar la harina y la levadura en un recipiente hondo y añadir el azúcar glas y la manteca. Agregar 1/8 de agua templada y el vinagre. Amasarlo hasta obtener una pasta blanda y sin grumos. Cubrir con un paño y dejar reposar durante 30 minutos.
2. Forma con la masa 16 bolsitas. Colocarlas sobre una tabla enharinada y estirarlas con el rodillo hasta que cada una quede convertida en un disco de unos 10 cm de diámetro.
3. Poner 1 cucharada de pasta de alubias en cada disco, levantar el borde alrededor de modo que resulte una especie de saquito.
4. Cortar 16 cuadraditos de papel de repostería de 5 x 5 cm. Untarlos con aceite de sésamo, colocarlos en la bandeja de la olla de bambú, sobre un poco de agua, y dejar que se hagan al vapor durante 15 minutos.

Bolitas de sésamo

zhī -má-qiú

Ingredientes para 8 personas:
100 g de azúcar
2 cucharadas de leche de coco
1 cucharada de manteca de coco
250 g de harina, 2 huevos
10 g de ralladura seca de coco
1/4 de cucharadita de levadura
1 pizca de bicarbonato, sal
100 g de semillas de sésamo
1 l de aceite vegetal para freír

Económica

Por persona:
1 500 kj/360 kcal
8 g de proteínas · 20 g de grasas · 38 g de hidratos de carbono.

- Tiempo de preparación: 50 minutos.

1. Mezclar el azúcar con la leche de coco. Batir los huevos y derretir la manteca de coco. Mezclarlo bien todo.
2. Mezclar la harina, la ralladura de coco, la levadura en polvo, 1 pizca de sal y el bicarbonato. Añadirlo todo a la crema, removiendo hasta obtener una masa esponjosa.
3. Formar pequeñas bolitas y rebozarlas en las semillas de sésamo. Redondearlas y repetir la operación hasta cubrirlas por completo.
4. Calentar el aceite en el wok. Freír las bolitas hasta que se doren. Como se dilatan, procurar no freír muchas de una vez. Escurrirlas sobre papel de cocina. Servir calientes.

Sugerencia

Quedan mucho más crujientes si antes de freirlas se untan de cerveza con ayuda de un pincel.

Arriba: bolitas de sésamo. Abajo: pau de cumpleaños.

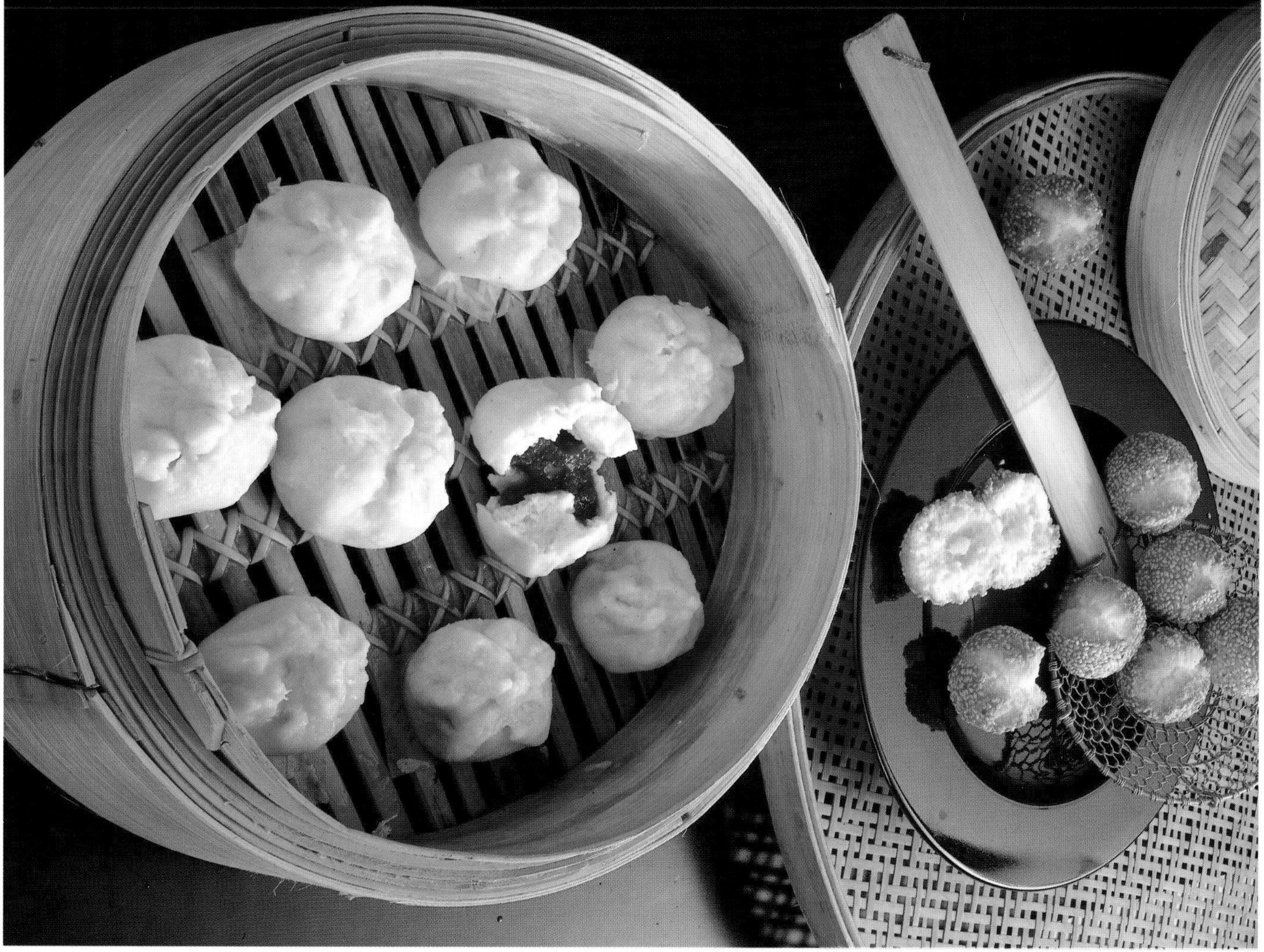

ATRACTIVOS POSTRES

ÍNDICE GENERAL Y DE RECETAS

A
Abalones 7
Abalones con salsa de ostras 42
Aceite de chile 8
Agar-Agar 7
Agujas de oro
Albóndigas de harina con setas 46
Alubias negras 8
Arroz con gallina 18
Arroz frito con marisco 16
Arroz frito con verduras 16

B
Besugo glaseado a la miel 41
Bolitas de sésamo 60
Brécol agriculce 50
Brotes de bambú 7
Buñuelos de gambas 38

C
Calamares fritos con salsa de alubias 40
Carne de cerdo frita 24
Carne de novillo envuelta 28
Carpas al estilo de Se-Chuan 44
Carpas al vapor 44
Castañas de agua 9
Cilantro 9
Cocción suave y troceado fino 7
Codornices a las especias 31
Col china a la crema 50
Col de mostaza 9
Col de mostaza al vapor con salsa de habas y queso 49
Corte en dados 7
Corte en figuras geométricas 7
Corte en rodajas 7
Corte en tiras 7
Costillas de cerdo a la antigua 24
Crepes de mandarín 37

D
Dátiles chinos 8
Dip de cacahuete 16

E
Empanadillas fritas 20
Empanadillas hervidas 22
Ensalada de Shanghai 12

F
Fideos con verdura 22
Fideos chinos 9
Flores 7

G
Gallina frita 30
Gallina al vapor 30
Gambas a la gabardina 38
Glutamato 9

H
Hojas de pasta para rollitos de primavera 9
Hojas en tiras 7

I
Incisiones 7
Ingredientes originales 7

J
Jalea de almendras 58
Jengibre 9

L
Lápices 7
Leche frita 12
Lomo de novillo con pimientos picantes 29

O
Olla de bambú 6
Ostras al vapor 10

P
Palillos 6
Pastel de frutas al vapor 58
Pato a la pekinesa 36

Pato estofado «ocho delicias» 34
Pau de cumpleaños 60
Pescado frito con salsa agridulce 42
Pimienta de Se-Chuan 9

Q
Queso de alubias de soja 9

R
Rollitos de espinacas 48
Rollitos de primavera 10

S
Salsa de chile 8
Salsa de ostras 7
Salsa de alubias con vino de arroz 16
Salsa agridulce 14
Salsa de soja 9
Semillas de loto 9
Setas chinas 9
Solimillo de cerdo al estilo de Cantón 26
Solomillo con brécol y salsa de ostras 26
Solomillo de pavo con lichis 32
Sopa agripicante 56
Sopa de abalones 54
Sopa de gambas 56
Sopa de huevos de paloma 54

T

Tofu con salsa de soja 52
Tofu 9
Tofu al estilo de Se-Chuan 52

V

Verdura estofada 46
Vino de arroz 9
Vino de mijo 9

W

Wan-tan 9
Wok 6

Y

Yemas de azucena 9

Kin Lan Thai

Nació en Hue (Vietnam). Vive en Alemania desde 1965. Es profesora de filosofía budista e inglesa en la Universidad de Munich. Conserva un cariño especial por la cocina asiática. Sus amigos alemanes le animaron a escribir este libro, ya que en las fiestas germano-asiáticas les agasajaba siempre con especialidades del Lejano Oriente. Junto a infinidad de consejos de cocina asiática, la señora Kin Lan Thai ha recopilado, asistida por la señora Sián Spoh que ha colaborado en la redacción, las recetas más importantes de la comida indonnesia, La autora imparte clases de cocina asiática en el Centro germano-asiático de Munich.

700.-

Título original: *Chinesisch Kochen*
Traducción: Mª del Carmen Vega Álvarez

TERCERA EDICIÓN

© Gräfe und Unzer GmbH, München, y
EDITORIAL EVEREST, S. A.
Carretera León-La Coruña km 5 - LEÓN
ISBN: 84-241-2321-2
Depósito Legal: LE: 555-1995
Printed in Spain - Impreso en España

EDITORIAL EVERGRÁFICAS, S. L.
Carretera León-La Coruña km 5
LEÓN (ESPAÑA)